Оглавление

Введение

В жизни многих людей случалось то, что невозможно объяснить с точки зрения логики и здравого смысла, что неподвластно никаким шаблонам, законам и правилам, что просто не укладывается в разумные рамки. Люди известные и уважаемые, чьи имена у всех на слуху, а биографии досконально изучены историками, исследователями и последователями, тоже нередко сталкивались с чем-то непознанным, загадочным и сакральным. Что это было? Повлияло ли на жизнь конкретных персон, или, может, на ход истории в целом? Какими оказались последствия?

Уникальные архивные документы, справки, летописи, цитаты из дневников и писем легли в основу этой книги. Хотите узнать подробности самых удивительных мистических историй из жизни великих людей? Вы готовы приоткрыть занавес тайны?..

Авраам Линкольн:
видел пришельцев и верил в вампиров

Начать повествование о мистике в жизни известных людей, бесспорно, следует с личности шестнадцатого президента Соединенных Штатов Америки Авраама Линкольна (12 февраля 1809 года — 15 апреля 1865). И не только потому, что в алфавитном перечне великих персон, столкнувшихся с непознанным, необъяснимым и таинственным, он находится на почетном первом месте. Его жизнь была буквально насыщена мистицизмом.

Достаточно сказать, к примеру, что Линкольн, будучи большим поклонником спиритизма, проводил немало времени в общении с потусторонними силами и, став настоящим профессионалом в этой области, — для контакта с иным миром ему впоследствии не требовалась ни доска, ни свеча, ни другие магические атрибуты, достаточно было закрыться в комнате в полной темноте, закрыть глаза и «настроиться», принялся обучать основам вызова духов множество своих последователей — со временем, говорят, их были сотни. Во время одного из своих погружений он узнал у духов дату собственной смерти и незадолго до кончины дал наказ своим ученикам: когда они в будущем будут налаживать контакты с миром мертвых за спиритической доской, первым делом вызывать именно его дух, а он, в свою очередь, сделает все, чтобы прийти из другого мира на землю, вступить в контакт и ответить на все вопросы. К слову, по сей день медиумы во всем мире утверждают, что дух бывшего американского президента — самый контактный и общительный, новичкам, делающим свои первые шаги в области спиритизма, рекомендовано начинать свои практики именно с него. И все это — далеко не единственная загадка Линкольна. Во многом благодаря голливудскому кинематографу мы знаем, что этот человек был одним из самых известных... охотников на вампиров...

Интерес к спиритизму проявился у Авраама Линкольна еще в самом начале его политической карьеры. После смерти горячо любимого сына Уилли он сильно тосковал и, как говорят, не мог не есть, ни пить, все время ходил грустный и бледный, а иногда и вовсе целыми днями мог пролежать в кровати, не вставая. И тогда кто-то посоветовал ему посетить сеанс медиума и вступить в общение с духом Уилли. Большинство историков предполагают, что этим советчиком были его жена Мэри Тодд, однако есть свидетельства, что Линкольн и сам, независимо от Мэри, ранее интересовался спиритизмом, а трагедия в семье стала лишь поводом для «погружения» в эту тематике с головой. В письме своему другу Джошуа Ф. Спиду, написанном в 1842 году, Линкольн отмечает, что его «всегда сильно влекло к мистицизму», и что он всегда ощущал, что его направляет «не собственная воля, а какая-то иная сила, которая подталкивает к миру мертвых, общение с которым возможно лишь посредством говорящей доски с буквами цифрами и указателем, которым управляют духи».

Историки считают, что опыт общения Линкольна с несколькими медиумами, а также собственные сеансы повлияли на весь ход мировой истории. Ведь именно на спиритических сеансах президенту пришла идея нестандартной по тем временам меры, благодаря которой он вошел историю. Можно сказать, с легкой руки духов в 1863 году был опубликован манифест об освобождении рабов в Америке. Один из известных медиумов того времени, миссис Кранстон Лори, написала в своих воспоминаниях о том, что президент всегда занимал твердую антирабовладельческую позицию, считая рабство злом и выступая против распространения этой системы на всю территорию США, а потому на сеансах он постоянно спрашивал, возможна ли отмена рабства, и чем это может быть чревато.

За время своего президентства Линкольн проводил сеансы с разными медиумами, к числу их принадлежали Дж. Б. Конклин, Нетти Коулберн, миссис Миллер, Кора Мейнард и многие другие. К слову, Мейнард ставила себе в заслугу манифест об освобождении рабов, утверждая это в своей автобиографии. Нетти Коулберн тоже приписывала себе эту честь, ссылаясь на то, как она в состоянии транса полтора часа убеждала Линкольна, что война не кончится до тех пор, пока он не отменит рабства.

Позиция Линкольна по отношению к рабству повлекла за собой его убийство — и это, по некоторым данным, было также предречено президенту на одном из сеансов. 14 апреля 1865 года Джон Уилкс Бут выстрелил Линкольну в затылок, когда они с женой сидели в ложе столичного вашингтонского театра Форда. Через несколько часов Линкольн скончался.

Помимо спиритических сеансов, у Линкольна было два поразительных предупреждения о собственной смерти. Незадолго до выборов 1860 года он несколько раз видел в зеркалах свое отражение, и это вывело его из душевного равновесия. Ему виделось одновременно два разных отражения. Одно из лиц покрывала смертельная бледность, и при попытке вглядеться в него оно тут же исчезало. Мэри Тодд Линкольн истолковала это как знак, что он будет вновь избран на второй срок, но до его окончания не доживет.

За десять дней до убийства Линкольну привиделся пророческий сон, где как наяву он увидел свою собственную смерть. Он так записал в своем дневнике, сохраненном в музеях по сей день: «Я поздно лег спать. И вскоре стал грезить. Казалось, вокруг меня разлилась гробовая тишина. Затем, послышались сдавленные рыдания, будто плакало множество людей. Мне казалось, что я встал с постели и медленно спустился по лестнице вниз. И здесь тишину нарушало то же самое скорбное рыдание, но оплакивающих не было видно. Я переходил из комнаты в комнату, но мне не попадалась на глаза ни единая живая душа, хотя на всем пути меня встречали все те же горестные звуки печали. Все комнаты были освещены, каждый предмет мне был знаком, но где же все эти люди, которые скорбят так, будто сердца их разрываются от горя? Меня это озадачило и насторожило. Что бы это значило? Полный решимости выяснить причину происходящего, — чего-то таинственного и ужасного, — я продолжал идти дальше, пока не дошел до Восточных апартаментов, куда я и вошел. Предо мной оказался катафалк, на котором покоилось тело, облаченное в погребальный наряд. Вокруг него стояли солдаты в почетном карауле и толпилась масса народу, — кто-то скорбно взирал на тело, лицо его было закрыто, остальные же горько плакали. «Кто умер в Белом Доме?» — спросил я у одного из солдат. «Президент», — последовал ответ. И тут толпу прорвало в громком горестном вопле, который и пробудил меня ото сна. В ту ночь я больше не уснул, и хотя это был всего лишь сон, с тех пор меня не покидает странное беспокойство».

Вечером накануне убийства Линкольн сказал членам своего кабинета, что видел сон, как на него будет совершено покушение наемным убийцей. В день покушения, Линкольн поделился со своим телохранителем У. Г. Круком, что уже три ночи кряду ему снится, что его убьют. Крук настоятельно просил его не ходить в этот вечер в театр Форда, однако Линкольн возражал, говоря, что судьба неизбежна, и если ему суждено умереть — пусть так оно и будет. «А еще я обещал жене, что схожу с ней в театр, а обманывать женщин нехорошо», — пошутил он, после чего эта его фраза вошла в число цитат великих личностей. Отправляясь в театр, вместо привычного «всего хорошего» он сказал Круку «прости и прощай». Все историки убеждены: он знал, что будет застрелен в этот вечер.

Траурный поезд доставил тело Линкольна домой в город Спрингфилд штата Иллинойс, чтобы предать его там земле. Говорят, что с тех самых пор ежегодно в апреле, в годовщину убийства Линкольна, призрак траурного поезда движется по рельсам того пути, по которому из столицы страны — Вашингтона — через штат Нью-Йорк и далее на запад, в Иллинойс, следовал настоящий траурный поезд. Однако поезд-призрак никогда не доходит до цели своего назначения.

Вместе с тем ходят рассказы, будто существует два призрачных поезда. У первого паровоз тянет несколько задрапированных черным вагонов и выбрасывает черный дым. Один из вагонов — военный и оттуда доносятся звуки траурной музыки. У второго же, паровоз тянет одну лишь платформу с гробом президента.

Американская газета, журналисты которой были убеждены, что история с поездом просто легенда, и провели собственное расследование, опубликовала однажды такой материал: «Из года в год в апреле месяце где-то около полуночи воздух на путях становится каким-то пронизывающим, пробирающим до костей, хотя по обеим сторонам от пути он остается теплым и недвижным. Любой наблюдатель, ощутив такой воздух, тут же старается быстро убраться с путей и пристроиться где-нибудь, посмотреть. Вскоре проходит увитый длинными черными лентами головной локомотив траурного поезда с оркестром черных инструментов, играющих траурную музыку, а повсюду сидят скалящиеся скелеты.

Он проходит бесшумно. Если ночь лунная, то в тот момент, когда проходит поезд-призрак, облака, затеняют луну. Когда проходит головной локомотив, за ним стремительно врывается траурный поезд с флагами и лентами. Рельсы кажутся покрытыми черным ковром, в центре вагона виднеется гроб, при этом весь воздух вокруг него и весь поезд позади него заполнен бесчисленным множеством людей в синей военной форме, одни из них несут свои гробы на плече, другие же на них опираются.

Если же в это время случится идти настоящему поезду, то шум его стихает, как будто его поглощает поезд-призрак. Когда проходит поезд-призрак, останавливаются все часы, — от карманных до напольных. И если потом взглянуть на них, то все они отстают на пять-восемь минут.

Замечено, что в ночь на 27 апреля вдруг оказалось, что на всем пути следования все часы отстают».

Уже в наши дни уфологии со всего мира, побывавшие на месте появления поезда, сошлись в едином мнении: он существует! Его прохождение было зафиксировано множеством приборов, однако сфотографировать или снять на видео поезд пока никому не удалось — на пленке и в цифровом формате не отображается ничего.

Спустя некоторое время после смерти Линкольна его вдова Мэри Тодд решила устроить для себя фотосессию, пригласив известного фотографа Уилльяма Мамлера. Снимок, который вышел у него, стал историческим. На черно-белом фото и получился не только портрет жены президента, но просматриваются и расплывчатые очертания, напоминающие лицо самого покойного президента.

Говорят, что дух Линкольна продолжает бродить по Белому Дому. Впервые шаги, приписываемые призраку Линкольна, были отмечены служащими в коридорах второго этажа. Первым человеком, который, якобы, видел его призрак, была Грейс Кулидж, жена Кальвина Кулиджа, тридцатого президента Соединенных Штатов, находившегося у власти с 1923 по 1929 год. Она заметила силуэт Линкольна, стоявшего у окна в Овальном кабинете и смотревшего на реку Потомак. С тех пор его призрак видели в этой позе или ощущали на этом месте. Поэт Карл Сэндберг сказал однажды, что чувствовал (но не видел), как Линкольн стоял рядом с ним у окна.

Явление призрака восстанавливает реальную сцену, которую довелось наблюдать однажды вечером во время президентства Линкольна военному капеллану Боуллзу. Боуллз прибыл в Овальный кабинет на встречу с Линкольном. Президент в этот момент печально смотрел в окно. «Мне подумалось, что никогда в жизни я не видел такой глубокой скорби на лице, а я повидал немало печальных лиц», — так писал Боуллз об этом случае.

Бывшая спальня Линкольна, которую так и называют «комнатой Линкольна», принадлежит к числу мест, где появляется его призрак. В этой части здания размещаются приехавшие с официальным визитом главы государств, многие из которых рассказывали о происходящих там странных явлениях — от звука шагов до зрительных галлюцинаций. Когда королева Вильгельмина Нидерландская однажды была с визитом у президента Франклина Д. Рузвельта, она услышала шаги в коридоре, а затем стук в дверь. Когда же она открыла, то была поражена, увидев стоящего перед ней Линкольна в сюртуке и высоком цилиндре. Королева упала в обморок. Это можно было бы списать на видения, если бы, по меньшей мере, еще двое гостей не видел Линкольна сидящим на кровати и надевающим башмаки.

Элеонора Рузвельт обычно работала по вечерам и часто ощущала присутствие Линкольна. Иногда собака Рузвельтов, Фала, вдруг начинала бешено лаять без видимой на то причины.

Президент Гарри Трумен был тоже уверен, что слышал, как Линкольн ходил по дому. Когда закончилось президентство Трумена, призрак, казалось, исчез из Белого Дома. При администрации Рональда Рейгана дочь президента Морин говорила, что видела призрак Линкольна в комнате Линкольна.

В дополнение к тому, что шаги призрака Линкольна слышатся в Белом Доме, слышатся они и у места его погребения в Спрингфилде.

О необычных появлениях Линкольна уже после его смерти написано множество книг, опубликованы тысячи статей. Но вернемся к его жизни.

На страницах книги Сэта Грэма-Смита шестнадцатый президент Америки предстает в довольно-таки необычной роли — в роли охотника на вампиров. Все это можно было бы списать на фантазию автора, если бы не сноска на то, что книга составлена по материалам сохранившихся свидетельств, а также многочисленных фактов, подтверждающих это.

Согласно книге, когда Авраам Линкольн был еще подростком, вампир Джим Стерджесс спас его жизнь. Линкольн и Стерджесс стали друзьями. Джим рассказывал Аврааму историю вампиризма, учил его отслеживать, сражаться и убивать вампиров.

На самом деле, ни в каких ритуальных убийствах он не участвовал. Но все-таки в жизни будущего президента действительно присутствовал некий персонаж, который страдал редким заболеванием — порфирией. Эта болезнь портит кровь, нарушая воспроизводство гема. Симптомы больного соответствуют тому, что описано во множестве литературных произведений — постоянная тега к употреблению внутрь крови, раздражение от солнечного света, боязнь до безумства запаха чеснока... Страдающий всем этим знакомый юного Линкольна в своих разговорах с ним рекомендовал убивать таких, как он. Но вовсе не потому, что вампиры способны кусать других людей вдруг вырастающими клыками и упиваться их кровью, а потому что болезнь для них — мучения, а каждый день — страдания. Подросток хорошо запомнил эти нравоучения и периодически в жизни во время общения со знакомыми, во время публичных выступлений, пытался обратить внимание на данную проблему. Правда, не слишком активно, чтобы недоброжелатели не записали его в ряды «ненормальных». Никаких иных действий по отношению к вампирам Линкольн не предпринимал. По крайней мере, документальных свидетельств об этом не сохранилось. Но ходили слухи, которыми, как известно, полнится земля, что президент состоял в тайном обществе по уничтожению вампиров и в свободное от государственных дел время отправлялся не на охоту в лес, а на истребление кровопийц.

Некоторое источники утверждают, что Линкольн верил не только в вампиров, но и еще в одних весьма загадочных существ. Правда, предположить, что они прилетели с других планет, он не мог, будучи уверенным, что люди, «путешествующие в облаках которые могут появиться где угодно, например, над поляной в лесу или в небе над домом» никто иные, как пришельцы из мира мертвых. В одном из своих дневников он написал: «На- блюдал сегодня, как на некотором расстоянии от меня в небе появилось облако правильной формы, от которого исходили лучи, как от солнца. Оно опускалось ниже, почти до самой земли, но как только появились люди, взлетело вверх и исчезло. Думается, это был очередной знак от умерших, которые хотели мне что-то сообщить, именно мне, поскольку я находился в непосредственной близости от этого места, и не видеть все это не мог». В другой своей записи Линкольн продолжает рассуж- дать на эту тему: «Их все больше и больше, их видят все чаще и чаще. Кто они и зачем прилетают? Как им удается перемещаться из мира мертвых в мир живых? Почему они не выходят на общение? Чего боятся? Может, мы еще не готовы к тому, чтобы вести с ними диалог, и они просто ждут? Пока у меня нет ответов, но я знаю совер- шенно точно, что они существуют, не являются сном, не придуманы мной и не явились видением вследствие приема лекарств и настоек. Если мне удастся пообщаться с ними, я непременно задам все вопросы, которые у меня накопились к ним».

Адольф Гитлер:
охотился за магическими артефактами

Можно много спорить о значении фигуры Адольфа Гитлера (20 апреля 1889 — 30 апреля 1945) в мировой истории и рассуждать о его захватнических войнах и расистских убеждениях. Оставим это историкам. Нам этот человек интересен своим увлечением всем мистическим и потусторонним. Ни для кого не секрет, что в становлении идеологии Третьего рейха огромную роль сыграла именно мистика, а в частности — идея о происхождении арийской расы от древних могущественных атлантов и их потомков гипербореев. Загадочный Тибет, мифическая родина легендарной Шамбалы, манил фюрера древними тайнами. Очень большое влияние на формирование мировоззрения Гитлера оказал немецкий ученый Ганс Горбигер с его теорией космического льда. По Горбигеру, нашему времени предшествовала сказочная по размаху и мощи цивилизация, существовавшая тысячи лет. Люди-гиганты, жившие в те времена, имели множество рабов. Но цивилизация погибла в результате потопа. Ученый считал, что когда-нибудь люди, пройдя через колоссальные катастрофы и мутации, сделаются такими же могучими, как их предки. Чтобы спасти человечество, Горбигер предлагал отдать власть арийской расе как наиболее сильной.

Гитлер перед приходом к власти часто общался с одним тибетским ламой, жившим в Берлине. Ламу называли «человеком в зеленых перчатках», а посвященные называли его «держателем ключей от королевства Агарти». Агарти по-немецки звучит как Асгард — легендарная страна северных богов-асов. С загадочным королевством Агарти связана мощная духовная организация «Общество Туле», членом которого был и Гитлер. Ее основатели ученые Эккарт и Хаусхофер утверждали, что 30–40 веков назад в районе пустыни Гоби процветала высокая цивилизация. Во время глобальной катастрофы погибли не все ее представители. Оставшиеся ушли в гималайские пещеры и разделились на две части. Одни назвали свой центр Агарти (центр добра), предались созерцанию и не вмешиваются в земные дела. По легендам, жители Агарти до сих пор пребывают в пещерах. Вторые основали страну Шамбалу (центр могущества и насилия, управляющий миром), которая является хранилищем неведомых сил, доступным лишь посвященным. Часть гобийцев якобы перекочевала на север Европы и Кавказ и является предками арийской расы. Поэтому только арийская раса могла бы заключить союз с Агарти и Шамбалой и овладеть секретами управления тонкой энергией, позволяющими научиться, к примеру, взглядом ворочать многотонные каменные глыбы.

Из всех этих идей Гитлер сформулировал теорию «магического социализма», по которой люди каждые 700 лет поднимаются на новую ступень развития. Предвестником трансформации рас служит появление магов-гигантов. Истинной расой, призванной познать следующий цикл, Гитлер считал арийцев. Их удел — эпопея под предводительством «высших неизвестных». Другие же люди, по мнению фюрера, только внешне похожи на человека, но отстоят от арийцев дальше, чем животные. Поэтому истребление евреев, цыган и т. д. он не считал преступлением против человечества. По приказу Гитлера был организован специальный институт «Аненербе»; который организовывал экспедиции на Тибет в поисках легендарных стран. Увы, несколько снаряженных экспедиций потерпели в Тибете фиаско.

Всю свою жизнь Гитлер активно увлекался гаданиями и с искренним уважением относился ко всякого рода провидцам и ясновидцами. Прослышав о том, что в каком-нибудь городе или стране проявился очередной человек, обладающий паранормальными способностями, он тут же спешил организовать личную встречу — взывая к себе (и щедро благодаря за сеансы), или же приезжая самостоятельно. Есть описания очевидцев, где говорилось, что при общении с ними великий диктатор вдруг превращался в «послушного ученика», который внимал каждому их слову. Он относился к представителям мира магии с почтенным уважением и даже если те были с ним грубы — никогда не позволял ответить жестко или принять агрессивные меры.

Известный факт: однажды в Болгарии Гитлер в окружении конвоя приехал к легендарной Ванге и, попросив охрану не входить в дом, уединился с ней, а через некоторое время буквально выбежал из жилища, громко крича и ругаясь. Уже со слов самой Ванги мы знаем, что он попросил рассказать будущее — как видит его она. Ванга ответила, что не желает работать с ним, поскольку он не хороший человек, на счету которого множество смертей, а еще больше людей погибнет в будущем. Единственное пророчество, сделанное ею Гитлеру, касалось предстоящей войны. Она сказала, что будущего у него два, в одном случае он будет жить долго и обретет деньги, но потеряет власть, а в другом случае будет у власти, но слишком короткое время, после чего будет убит, а вся его идеология рухнет, равно как исчезнет все, что было создано им. И отправная точка пути, от которой зависит будущее — это война с Россией. Крах Гитлера ждал, если он пойдет на Россию с войной. Именно это пророчество и взбесило вождя, именно его он ослушался, а к чему все это привело — мы знаем из мировой истории. Почему же Гитлер, так доверяющий предсказателям ослушался Вангу, имевшую в те времена невероятный авторитет? Многие исследователи считают, что причина этого в некоем артефакте, имеющем название «копье Лонгина». Гитлер верил (а может быть его убедили в этом «придворные» гадалки, экстрасенсы и астрологи, к советам которых он всегда прислушивался), что обладая им, он способен менять ход истории, подчинять себе разум людей, управлять судьбами и реально творить чудеса. «Копье Лонгина», которое для идеологов «тысячелетнего Рейха» являлось бесценным магическим атрибутом, а по сути представляло собой простой, невзрачный железный наконечник древнего копья, считавшейся одной из главных святынь христианского мира (вторым значимым атрибутом, по западнохристианской шкале ценностей после Чаши Грааля) хранилось в венском музее Хофбург — бывшем дворце Габсбургов, австрийских императоров.

В 1909 году молодой и никому неизвестный художник Адольф жил в Вене, точнее бедствовал. Небольшие картинки с видами города не приносили особого дохода, а крупных заказов не было и не могло быть. Однако честолюбивые мечты не давали покоя будущему палачу народов. Одним из самых заветных чаяний Адольфа было то самое чудесное копье, легенду которого он хорошо знал. Во многом идеей завладения копьем юного художника мог заразить его приятель Альфред Розенберг, который в юные годы открыто увлекшись оккультизмом, неоднократно проводил спиритические сеансы по вызову всевозможных князей когда-то раздробленной на части Пруссии. Один из часто задававшихся вопросов этой сомнительной компании касался копья, хранившегося в музее. И на одном из сеансов, на котором, как однажды признался Гитлер, был вызван сам Оттон Третий — император Священной Римской империи, которому в свое время принадлежало таинственное копье, дух сообщили наблюдавшему за процессом Адольфу, что следующим хозяином копья станет он со всеми вытекающими отсюда последствиями.

Повзрослев и утвердившись во главе «Новой Германии», фюрер уже в открытую говорил о своем поклонении заветному копью. Так, в созданном им в 1935 году Центре нацисткой религии в Берлине, существовала некая «Комната Копья» — небольшое помещение, в котором располагалась копия предмета вождения. Но копия не могла его удовлетворить, потому как не имела никакой магической силы, а потому не случайно первой жертвой мировой тирании стала Австрия, никому не мешавшая альпийская республика. Была даже проведена секретная операция по захвату «особо ценных» музейных экспонатов Хофбургского музея. Прежде чем бронированные немецкие колонны вторглись на суверенную австрийскую территорию, по личному указанию Гитлера местные венские эсэсовцы захватили Хофбург. Гитлер самолично явился в венский музей сразу после аншлюса и, как описано во многих источниках, «его дрожащие от волнения руки сняли стекло, столь долго отделявшее его от страстно желанной драгоценности, после чего онемелые пальцы легонько коснулись древнего железа, причем, не перчаткой — он жаждал кожей, своей плотью прочувствовать силу волшебного наконечника».

Со временем список артефактов Гитлера пополнился и иными магическими приобретениями. В инвентарном списке значились: зуб Иоанна Крестителя, лоскут скатерти со стола Тайной Вечери, над которой Иисус Христос в свое время преломил хлеб, кошель Святого Эльма, библия первого Римского Папы, камень из стены Иерусалимского храма и многое другое.

В октябре 1944 года англо-американские бомбы превратили в руины древний Нюрнберг. До основания была разрушена и старая крепость, в подземных галереях которой Гитлер спрятал свои сокровища. Не помогли ни бронированный бункер, ни особые заклинания подразделения агентов-оккультистов.

В это время армия Георгия Жукова подступает к германской границе. В Берлине, Адольф Гитлер проводит экстренное совещание, на котором решается судьба сокровищ, причем, главной целью становится спасение копья — всем остальным диктатор был готов пожертвовать. Принимается решение — спрятать «копье Лонгинах» в Альпах, в особом скалистом укрытии. Однако в возникшей неразберихе, в Альпы по ошибке отправляют «Меч святого Маврикия», а копье забывают в Нюрнберге. 30 апреля 1945 года подземелья Нюрнберга были обследованы американскими войсками, которые ничего интересного не обнаружили, а неприглядная ветошь военных просто не заинтересовала. Оно могло быть погребено под руинами, но копье прихватил на память американский генерал Паттон, который уже после войны, узнав о его ценности, передал властям только что освобожденной Австрии. Оно и по сей день хранится в Хофбургском дворце.

Айзек Азимов:
отдал душу посланцу из третьего мира

Кумир всех любителей фантастики, американский писатель, автор так называемых «законов роботехники», которые впоследствии использовали уже все фантасты, Айзек Азимов (2 января 1920 — 6 апреля 1992), всю жизнь вел замкнутый образ жизни, предпочитая светским мероприятиям работу дома за пишущей машинкой. Несмотря на почтенный возраст, скончался писатель от «чумы XX века» (ВИЧ-инфекцией он был заражен после операции на сердце, которая проводилась не стерильными инструментами). Незадолго до смерти Айзек попросил издателя, печатающего его книги, пригласить к нему пару-тройку журналистов, обещая рассказать им что-то сенсационное. Шокирующие признания на самом деле вскоре появились в прессе, вот только не как сенсация, а как насмешка над больным человеком — писали, что в результате заболевания он бредит и сочиняет небылицы... И лишь после его смерти многие задумались — быть может, он был прав и все описанное им — реальность? Что же такое рассказал репортерам писатель?

С его слов, однажды, когда он сидел за пишущей машинкой, работая над очередной главой очередного произведения, он ощутил у себя за спиной чье-то дыхание. Обернувшись, он увидел человека, больше похожего на тень. «Не смотря на то, что дверь в комнату была закрыта, никто ко мне не заходил и не выходил, я видел эту личность — некоего материализовавшегося субъекта. Он был объемным, то есть не был тенью, но выглядел как тень — был полупрозрачен, почти просвечивался. Одет он был в длинный плащ в самый пол, который укрывал ноги, а голову покрывала широкополая шляпа, которая была надета таким образом, что скрывала все лицо. Если бы это происходило не в реальной жизни, а в кино, я бы назвал это голограммой, но из каких-то очень старых фильмов, когда еще не умели делать цветные и яркие спецэффекты».

Айзек незнакомца не испугался, а, напротив, попытался вступить с ним в контакт, который удался. Правда, вслух визитер ничего не произносил — на вопросы он отвечал силой мысли. В частности, гость поведал о том, что пришел из мира мертвых, чтобы забрать к себе душу писателя. «Ты приходишь за всеми, тебя видит каждый, кто должен умереть?» — поинтересовался Азимов, на что получил ответ: «Вовсе нет. Одних после смерти забирают в ад, других — в рай, а за третьими прихожу я. За душами тех людей, которые нужны в третьем мире, о чем ничего не известно человечеству пока что. Существует иной мир, мир информации, в который попадают избранные».

Спустя несколько дней после публикации этих признаний в СМИ, фантаста не стало. Кто был посланец из иных миров, до сих пор пытаются понять уфологи и поклонники творчества писателя. Эта тема занимает умы не меньше, чем тема пророчеств Айзека, ведь еще в юности, в своих первых книгах, он описал события, которые сбылись спустя много лет, и продолжают сбываться по сей день. Более того, в 1964 году газета «The New York Times» опубликовала статью «Всемирная ярмарка 2014 года», написанную писателем по личной просьбе редактора — в ней автор попытался представить, каким мир будет через пятьдесят лет. Многие из его прогнозов оказались верными. Посудите сами...

«Главной проблемой будет скука, — пишет Айзек Азимов, — люди перестанут ходить куда-то и общаться между собой, им будет скучно и неинтересно все, что происходит вне домов. Люди будут сидеть, смотреть в стены или лежать на кровати, глядя в потолок, где будут какие-то приспособления для развлечения людей. Все это приведет к развитию новой болезни, которую так и можно назвать — скука, она будет распространяться с каждым годом все шире и становиться более выраженной. Это будет иметь серьезные умственные, эмоциональные и социологические последствия, и приведет к тому, что психиатрия будет самой востребованной медицинской специальностью. Люди продолжат отделяться от природы, чтобы создать среду, которая им больше подходит, будут асфальтироваться поля, вырубаться леса, а на их месте строиться жилые дома и хозяйственные объекты. Будет разработано кухонное оборудование, цель которого — облегчить жизнь. Оно будет готовить автоматическую еду, нагревая воду и превращая ее в кофе, поджаривать хлеб, жарить, варить яйца и делать яичницу, подрумянивать бекон и т. д. Коммуникации будут осуществляться через изображение и звук, и вы сможете не только услышать, но и увидеть человека, которому звоните. Экран можно будет использовать не только, чтобы увидеть человека, которому вы звоните, но и для изучения документов, фотографий и чтения отрывков из книг. У приборов не будет электрических проводов. Вместо этого техника будет заряжаться на долгосрочных батареях на изотопах. Настенные экраны вытеснят обычные телевизоры и станут возможны прозрачные кубы с просмотром 3D. На Всемирной выставке 2014 года будут представлены 3D телевизоры, передающие изображения в натуральную величину, на которых можно будет смотреть балет. Множество усилий будет вложено в разработку машин с «роботизированными мозгами» — машин, которых можно будет запрограммировать на определенный пункт назначения, к которому они последуют без вмешательства медленных рефлексов водителей. Роботы будут не очень распространены и не так хороши в 2014 году, но они будут существовать, более того, их создатели будут участвовать в конкурсах, устраивать соревнования между собой, а в магазинах можно будет купить специально созданные игрушки для детей — робота-собаку и робота-кошку».

Александр Блок:
верил в цыганскую магию и сам подходил к гадалкам

Гениальный поэт Серебряного века, приверженец символизма Александр Александрович Блок (16 ноября 1880 — 7 августа 1921) прожил недолгую, но полную творчества жизнь. Его стихи, поэмы и драмы знает весь мир. Он провозвестник «неслыханных перемен в России», увидевший их еще в начале прошлого века. Все потрясения первых годов XX века прошли через душу поэта, внесли смятение, изменили его мировоззрение, оставили след в его творчестве. Однако помимо стихов он оставил своим потомком и то, над чем еще предстоит поломать головы любителям всего таинственного, необъяснимого и непознанного. Жена Александра Александровича, Любовь Дмитриевна Блок, оставила немало воспоминаний о своем супруге, ставшем легендарной личностью еще при жизни. В них можно найти весьма любопытные моменты.

К примеру, карьеру поэта юному Александру предрекла... обычная привокзальная цыганка. Было это еще в подростковом возрасте, когда он с мальчишками играл возле городского вокзала. Мальчишки развлекались тем, что дразнили пожилых цыганок, промышлявших своим не слишком честным ремеслом, после чего убегали. Однажды они пристали к старой цыганке, которая, будучи разозленной, сперва стала кричать на них, а потом вдруг остановилась и поманила Блока своим костлявым пальцем: «Ну-ка, ты, или сюда». Мальчик хотел развернуться и убежать — ему было страшно, но мальчишки стали его подзадоривать и он сделал несколько шагов навстречу. Гадалка положила руку ему на голову и изрекла: «Избавляйся от этой компании, не твоя она. Половина глупцов умрет, еще не познав первой любви, а остальные будут страдать всю жизнь. А тебя ждет слава и известность — если не будешь с ними. Кстати, а сам ты в первый раз

влюбишься в женщину взрослую, ровесницу матери»...
В будущем Блок рассказывал супруге, что из той самой компании четверо ребят действительно погибли, не дожив до 16 лет, а еще двое спились уже в более старшем возрасте. А впервые влюбился он в 1897 году, отдыхая с матерью в немецком курортном городке Бад-Наугейме. Его сердце захватила Ксения Михайловна Садовская — известная в те времена пианистка, к слову, замужняя, мать троих детей. Ей было 38 лет, как и матери юного Саши.

Вообще Блок очень верил в цыганскую магию, верил, что у смуглянок в цветастых платках есть свой, особый дар. Правда, он прекрасно понимал, что его могут и обмануть. Поэтому он всегда, встречая на улице цыганку, сам протягивал ей деньги, которыми был готов отблагодарить, и просил погадать. Но стоило цыганке попытаться разжиться на своем «клиенте», намекнуть на сглаз, порчу или попросить золото — тут же отправлял ее восвояси.

В 1901 году Блок, не вдаваясь в подробности, оставил такую запись в своих черновиках: «До сих пор мистика, которой был насыщен воздух последних лет старого и первых лет нового века, была мне непонятна; меня тревожили знаки, которые я видел в природе, но все это я считал «субъективным» и бережно оберегал от всех. Теперь события судьбы мне открылись, я увидел знак свыше».

Что именно имел в виду поэт — неясно. Но, возможно, свет на тайну пролила его супруга, которая в своих воспоминаниях как-то написала: «Александр Александрович часто видит сны, которые сбываются. Он может описать дом, который никогда не видел и в котором ему только предстоит оказаться. А уж сколько изменений человеческих судеб он увидел еще до того, как произошли события... Но он не любит говорить на эту тему, как, впрочем, вообще рассуждать о мистицизме».

Тем не менее, считается, что именно увлечения Блока мистикой привели в 1903 году к созданию большого цикла лирических произведений с характерными названиями: «Видения», «Ворожба», «Колдовство».

В 1913 году накануне Первой мировой войны поэта очень заинтересовали слухи о Григории Распутине, и он возжелал встречи с ним. Он написал несколько писем Григорию Ефимовичу с просьбой об аудиенции, приглашал его на встречу и даже был готов оплатить все расходы на проезд и проживание. Об организации встречи он просил и всех своих знакомых — в том числе очень влиятельных людей и чиновников, но встреча так и не состоялась, о чем он также оставил пару строк в одном из своих последних дневников. «Жаль, что я не смог увидеть Распутина — после этой встречи моя жизнь и мое творчество уже никогда бы не были такими, как прежде».

Вполне возможно, Блок просто верил, что чудо-целитель Распутин излечит его от всех болезней, которые его просто «сжигали» заживо. Врачи диагностировали у него астму, сердечно-сосудистую недостаточность, нервные расстройства и страшный недуг того времени — цингу. После убийства Распутина Блок вообще отказался от медицинского лечения, положившись на судьбу. Он перестал писать, денег на жизнь не хватало, он попросту голодал. В результате ослаб иммунитет, который не смог справиться с начавшимся воспалением легких. В 1921 году гениальный поэт скончался. Это — официальная версия. В народе же смерть Блока породила множество кривотолков. Высказывались версии, что его забрал за собой Распутин, что его отравили враги, было предположение, что к смерти его привели венерические болезни. А диагноз самого Блока был, конечно же, пророческим: «Поэт умирает, потому что дышать ему больше нечем».

Александр Македонский:
во всем полагался на личного мага

Македонский царь, величайший полководец в истории, создатель мировой державы Александр Македонский (20 июля 356 — 10 июня 323 гг. до н. э.) искренне верил в магию и доверял лишь одному человеку — личному магу и оракулу по имени Аристандер. Доверял настолько, что советовался с ним по любому поводу и, по мнению некоторых историков, становился жертвой манипуляций со стороны мистика.

Аристандер всегда и всюду сопровождал Македонского во время всех его удивительных походов, сделавших его правителем Персии и Египта и приведших его армию в Индию. Как это ни странно, маг оставил для потомков немало информации о себе и, изучив ее, можно прийти к выводам, что его магия заключалась в даре предвидения. В своих снах и тайных предзнаменованиях он мог видеть те события, в осуществлении которых был заинтересован, и так красочно их описывать, что это побуждало человека к немедленным действиям.

Появился личный маг в жизни Александра Македонского еще до его рождения. Царь Филипп Македонский увидел во сне, что он запечатал влагалище своей прекрасной супруги Олимпии; на восковой печати была изображена фигура льва. Прочие толкователи опасались осложнений в супружеском союзе, но, когда Филипп призвал Аристандера, его прорицание оказалось более обнадеживающим. Он сообщил Филиппу, что царица беременна, и предсказал, что мальчик, которого она носит, по своей силе и храбрости будет похож на льва.

После того как в возрасте двадцати лет Александр Македонский унаследовал царство, маг Аристандер вновь появился в качестве его ближайшего советника. В древних источниках можно найти записи, в которых рассказывается о том, как прорицатель Александра выполнял свою работу, включая наблюдение за полетом птиц, толкование сновидений, прорицание по внутренностям принесенных в жертву животных и отслеживал тайные знамения в окружающем мире. Большинство прорицаний мага Аристандера носили позитивный характер, однако были и предупреждения (таково, например, сообщение о заговоре с целью покушения на жизнь Александра Македонского). Однажды, когда армия Александра Македонского проходила через Пиерию, родину Орфея и муз, люди заметили, что кипарисовая статуя Орфея покрылась капельками влаги, и это вызвало тревогу среди его воинов. Маг Аристандер тотчас же произнес предсказание: поскольку Орфей — покровитель музыки и песни, этот знак говорит о том, что победы Александра Македонского Македонского заставят музыкантов и поэтов обливаться потом, сочиняя хвалебные песни в его честь. Так и случилось.

Но кое-что магу угадать не удалось. Однажды группа воинов под предводительством Македонского раскинула свой лагерь на берегу реки Оксус (Амударья). При рытье окопов вояки наткнулась на нечто совершенно незнакомое европейским народам. Увидев густую, маслянистую жидкость, бьющую струей в воздух, солдаты поспешили к Аристандеру, который сказал, что «чернота, вырывающаяся из земли» — дурной знак, говорящий о том, что люди потревожили вотчину дьявола, докопавшись до ада. Место он рекомендовал покинуть, назвав его проклятым. Разве мог он тогда подумать, что люди Александра Македонского открыли месторождение нефти, которая будет иметь колоссальное значение для всего человечества многие годы спустя?..

Скончался Македонский в Вавилоне в 323 году до н. э. Случилось это неожиданно — царю не исполнилось еще и 33 лет! Что стало причиной смерти молодого и достаточно крепкого мужчины — огромный вопрос. Наиболее ранние источники сообщают, что заболел он после очередного пира: по заверениям современников, император просто был отравлен, причем, его собственной супругой Роксаной.

Что бы там ни случилось, но после кончины Македонского вокруг его немалого наследства начались нешуточные распри. Приближенные царя начали между собой спорить и делить царское добро. Как итог целую неделю труп пролежал на своем смертном одре не погребенным. В конце концов, военачальники и вельможи спохватились и вспомнили о покойнике. Тело набальзамировали, на голову надели царский венец и снарядили в путь большой кортеж — похоронить его решили в Палестине. Однако до пункта назначения караван не дошел. Птолемей I — ближайший соратник и полководец Александра Великого — собрал свою армию и вышел навстречу траурной процессии якобы для того, чтобы воздать почести царю. Но вместо этого дерзко напал на похоронный кортеж, отобрал «трофей» и устремился с ним в Египет. Куда же делось тело и гроб — еще одна загадка для потомков. Мистикам она не дает покоя из-за одного предсказания, сделанного еще при жизни Александра его личным магом. В нем говорится, что после смерти каждая нестлевшая косточка полководца будет иметь колоссальную силу и оракулы всего мира будут охотиться и за ней. Кроме того, магической силой будут обладать и вещи, и драгоценности, которыми когда-то владел Македонский. Быть может, из-за этого пророчества за телом и богатством Македонского охотились во все времена. Но пока — безрезультатно.

Александр Невский:
в битвах просил помощи у инопланетян

Александр Ярославич Невский (13 мая 1221 — 14 ноября 1263) — знаменитый русский полководец, покрытый воинской славой, удостоившийся литературной повести о своих деяниях, канонизированный церковью вскоре после смерти, человек, чье имя продолжало вдохновлять поколения, жившие много веков спустя. Сегодня он — один из почитаемых святых, мощи которого хранятся в ковчеге в Свято-Троицкой Александро-Невской Лавре Санкт-Петербурга, поклоняться к которым ежедневно приходят сотни паломников. Но, что интересно, деяния, которые совершал Невский при жизни, в наше время назвали бы целительством и экстрасенсорикой, и все подобные факты в большинстве своем умалчиваются церковью — в летописях жизни святых о них не говорится ни слова, принято считать, что к лику святых (в 1547 году) он был причислен, за то, что «будучи славен как военный деятель, и как мудрый политик, имел непревзойденное значение для строительства Российского государства». А какие любопытные материалы о Невском можно найти в архивных документах?

В 1236 году в возрасте 16 лет Александр становится полноправным правителем Новгорода, но уже через год на город идут войной орды Батыя. Они уже разрушили многие русские города: Владимир, Рязань, Суздаль. Есть сведения, что Александр, дабы защитить город, каждое утро, когда только-только поднималось солнце, выходил на улицу с босыми ногами, вставал на колени и начинал молиться (впрочем, некоторые историки считают, что он не молился, а читал определенные мантры). В итоге все это создавало над городом невидимый защитный купол — и город, несмотря на нападки татаро-монголов, уцелел. Когда спустя три года угрозу городу стали представлять уже литовские и немецкие рыцари, нападавшие с запада, и шведы — с севера, Александр возглавил войско в битве со шведами на Неве, состоявшейся 15 июля 1240 г.

Перед битвой князь долго молился и сказал воинам такие слова: «Не в силе Бог, а в правде. Иные — с оружием, иные — на конях, а мы Имя Господа Бога нашего призовем!». А дальше произошло то, о чем уже в наши времена говорят уфологи во всем мире.

Как свидетельствуют русские летописи, когда Невский поднял руки к небу, случилось чудо. Его описал старейшина Ижорской земли Пелугсий: «Произошел страшный шум, и в небе показался насад (древнее новгородское судно ладейного типа), посередине которого стояли ранее убитые князья Борис и Глеб, произведенные в ранг святых; на них была одежда багряного цвета, тогда как гребцы имели костюмы цвета молнии». При этом все наше войско услыхало, как князь Борис произнес: «Брат Глеб, вели грести, да поможем сроднику своему Александру».

После победы над шведами новгородцы во главе со своим князем продвигались по берегам реки Ижоры, и, когда войска оказались в средней части реки, Александр вдруг увидел, что по небу движется «полк ангелов»... Вскоре обнаружил и множество мертвых врагов. А ведь новгородских воинов там еще не было! Летописец утверждает, что враги были убиты «ангелами божьими», причем, остатки шведских войск бежали, погрузив часть трупов на три корабля, которые вскоре затонули в море.

Необычные проявления фигур в небе списывали на появление богов или ангелов (хотя современники склонны говорить об НЛО). Как бы то ни было, слух о чуде так быстро распространился по земле русской, что к Александру стали приезжать люди из самых разных уголков страны (некоторые шли по нескольку месяцев) за помощью. Считалось, что раз боги ему помогают, то он способен на любые чудеса. Сопротивляться огромному числу людей Невский не мог, а поскольку на общение с каждым времени у него попросту не было, собирал людей вместе и помогал им молитвой, после которой «те, кто не могли встать, — вставали, те, у кого кожа была желтой от болезни, которая в них сидела — оживали и принимали нормальный цвет, истощенные поправлялись, беды отступали». Чем это не публичные сеансы сегодняшних эзотериков? В пользу этого говорят и те свидетельства, что Невский не только массово лечил людей, но и предсказывал будущее. Многие к нему приходили с вопросами, за советами — он не отказывал никому.

Невский не только помогал людям и защищал русские земли, но и сам выступал завоевателем. В военных походах он также полагался на молитву, а в небе над каждым сражением очевидцы видели лики святых, ангелов и кресты. После походов на финскую землю, где была учреждена епархия Русской православной Церкви, Невского стали называть проповедником, который способствовал распространению Слова Божия повсюду.

Из своей последней поездки князь Александр уже не вернулся. Он тяжело заболел и умер. После того, как его похоронили в Рождественском монастыре во Владимире, произошло чудо. Все иконы на территории монастыря замироточили, и это продолжалось в течение нескольких недель. В небе же над могилой тысячи людей видели странные светящиеся объекты в форме крестов. Они провисели на небе в течение 40 дней после смерти Невского, а после на протяжении почти пятиста лет (!) появлялись на том месте — вплоть до 1724 года, когда по приказу Петра I мощи Александра Невского не были перенесены в Александро-Невский монастырь.

Александр Пушкин: всю жизнь боялся предсказания гадалки

Как-то считающийся «солнцем русской поэзии» великий Александр Сергеевич Пушкин (26 мая 1799 — 29 января 1837) беседовал со своим приятелем графом Ланским. Речь зашла о религии, и оба наперебой принялись подвергать ее едким и колким насмешкам. Вдруг в комнату, где они сидели, вошел молодой человек, которого Пушкин принял за знакомого Ланского, а тот — за знакомого Пушкина. Подсев к ним, он тотчас включился в беседу и мгновенно обезоружил их доводами в пользу религии. И хотя оба приятеля слыли страстными спорщиками, они обескураженно примолкли, не зная, что сказать. Возникшую паузу следовало прервать, и граф с поэтом сделали это, согласившись, что, пожалуй, были неправы и теперь совершенно изменили свое мнение. Тогда гость встал и, простившись с ними, вышел.

Некоторое время оставшиеся молчали, когда же заговорили, то выяснилось, что ни тот ни другой не знали молодого человека. Позвали многочисленную прислугу, бывшую в доме, но дворня в один голос утверждала: никто посторонний здесь не появлялся, а в барскую комнату вообще никто не заглядывал. Тогда только Ланской и Пушкин признались друг другу, что таинственный визитер одним своим появлением внушил им какой-то страх, парализовавший их. Александр Сергеевич, рассказывая о случившемся своим знакомым, говорил: «Это не могло быть видением, потому что одинаковых видений у двух человек быть не может, мы же не просто видели его на пару, мы разговаривали с ним, ощущали тепло, исходящее от него, чувствовали дыхание». Поэт говорил, что его мучает только один вопрос — был ли незваный гость посланцем от Бога — ангелом, несущим какую-то весь и направляющим на путь истинный, или же от демона. Уж очень скверное ощущение осталось от общения с ним — не радость и облегчение, как после молитвы, а ужас и страх.

Впрочем, это далеко не единственный мистический случай в жизни Пушкина, мистика буквально преследовала его и странным образом предопределила важнейшие вехи его судьбы.

Почти все исследователи жизни Пушкина говорят о его ярко выраженной суеверности. Современники его подчас даже укоряли в излишней вере в разного рода приметы, знамения, предсказания. На подобные дружеские нападки Александр Сергеевич обычно отшучивался: мол, у каждого свои странности. Но однажды поэт серьезно сказал, что таким суеверным он стал, уже будучи взрослым. Виной такого изменения в мировоззрении Пушкина стала цепь интересных случаев...

Трудно поверить в то, что начало драмы, разыгравшейся 27 января 1837 года в пригороде Санкт-Петербурга на Черной речке, было положено еще зимой 1817 годов, когда в город на Неве приехала известная гадалка, немка Александра Филипповна Кирхгоф.

Прогуливаясь с друзьями по Невскому проспекту, Пушкин решил подшутить над ними. Проходя мимо дома, где временно жила и вела прием гадалка, кто-то зло бросал, что «эта ведьма» только мозги порядочным людям пудрит, кто-то восхищенно воздевал очи к небу: ну надо же, все как есть рассказала! Пушкин с приятелями решили заглянуть к прорицательнице и, убедившись, что она — очередная мошенница и аферистка, поднять ее на смех. Молодые люди попросили женщину погадать им, при этом светские бездельники сказали, что прошлое их не интересует и копаться в нем не стоит. Зато будущее... О нем следовало рассказать как можно подробнее.

Александра Кирхгоф решила начать с Пушкина, сразу выделив его среди других. Она заявила Александру Сергеевичу: ему стоит ждать письма, а через него — неожиданных денег. Затем поэта ждет на днях встреча с давнишним знакомым, который предложит хорошее место по службе. Обрисовала прорицательница и наиболее важные этапы жизни клиента (в частности, то, что он прославится, станет кумиром соотечественников и дважды подвергнется ссылке), предрекла ему брак, рассказала о будущих детях. К концу сеанса Кирхгоф предупредила поэта: он кончит свою жизнь неестественной смертью... Из воспоминаний близкого друга поэта Сергея Соболевского: «Она сказала, что умрет он от белой лошади, белого человека или же белой головы, всего этого ему следует остерегаться».

Надо сказать, Александр Сергеевич отнюдь не страдал легковерностью, поэтому об услышанном он благополучно забыл уже в тот момент, когда закрыл за собой дверь дома предсказательницы. Однако события того же вечера заставили поэта всерьез проанализировать результат сеанса ясновидения. Дело в том, что, как и предсказывала чопорная немка, Пушкин и вправду получил по почте письмо с деньгами... Поэт никаких денежных поступлений не ожидал и на пополнение своего кошелька незапланированной суммой не рассчитывал. Так откуда такая щедрость судьбы?!

Оказалось, эти деньги были... старым карточным долгом. Еще учась в лицее, Александр Сергеевич со своим приятелем-соучеником, любил перекинуться в картишки. Ставки делались небольшие, однако, в конце концов, Пушкин выиграл приличную сумму. К проигрышу товарища он отнесся несерьезно и о долге забыл. Но соперник по игре оказался весьма щепетилен в денежных вопросах; лицей давно остался позади, но выплатить приятелю проигрыш он по-прежнему не мог. Только получив наследство от отца, товарищ Пушкина поспешил избавиться от старого долга...

Откуда Кирхгоф узнала о получении денег? — не мог понять Пушкин. Неужели гадалка и вправду увидела будущее?

Несколько дней спустя Пушкин повстречал на Невском проспекте своего хорошего знакомого. Тот служил в Варшаве при великом князе Константине Павловиче и местом своим был очень доволен. Однако обстоятельства вынудили мужчину искать новую работу — в Петербурге. Поскольку чиновник не хотел подводить своего начальника, он решил найти и порекомендовать достойную замену. В общем, получалось, что Александра Кирхгоф в первой части своих предвидений ошибок не допустила. Стало быть, с последним предсказанием она тоже не ошиблась. Говорят, с нескрываемым беспокойством, Пушкин объявил друзьям, что теперь «надобно сбыться и третьему предсказанию». По многочисленным свидетельствам, именно с этого момента он стал очень суеверным. Все оставшиеся годы жизни Пушкин ожидал исполнения пророчества. И надеялся, что указанной крайности все же удастся каким-то образом избежать.

Так, когда поэт изъявил желание уехать в Польшу (там как раз правительственные войска усмиряли очередное восстание), он случайно узнал интересную вещь, сразу же заставившую его изменить принятое решение и остаться в Москве. Оказалось, имя одного из повстанцев — Вейскопф — переводилось как «белая голова»...

Из-за пророчества Александры Кирхгоф Пушкин расстался и с масонами. В организацию поэт вступил, руководствуясь собственными убеждениями, однако, обнаружив, что к масонской ложе имеет непосредственное отношение человек, чье имя также означало «белая голова», порвал с ними.

И все же оказалось, что судьбу, и вправду, конем не объедешь. В день и час, указанный гадалкой, на жизненном горизонте поэта нарисовалась новая роковая личность, которой и было суждено поставить точку в существовании Александра Сергеевича.

Убийца Пушкина, Дантес, вполне подходил под определение, данное Кирхгоф: молодой человек был белокур (вот вам и «белая голова»!), носил белый мундир кавалергарда (чем не «белый человек»?). И в его полку даже лошади были исключительно белой масти...

Однако об угрозе насильственной смерти поэта предупреждала, оказывается, не только знаменитая немецкая прорицательница. Мало кто знает, что родная сестра Пушкина, Ольга, являлась, по свидетельству современников, сильным медиумом, прекрасно разбиралась в физиогномике и хиромантии. Когда она всерьез занялась развитием собственных способностей, то стала сама удивляться точности сделанных предсказаний. Девушка решила, что впредь будет обращаться с собственным даром осторожно, и старалась не гадать близким людям. Однако Александр Сергеевич после окончания лицея настоял на том, чтобы сестра рассказала о его будущем. Всмотревшись в линии его руки, Ольга залилась слезами. Что ее расстроило, выяснять пришлось долго. «Лучше тебе не знать», — звучало в ответ на все вопросы. Наконец девушка призналась: она боится за брата, поскольку тому предстоит насильственная смерть в среднем возрасте. «До старости ты не доживешь!» — плакала Ольга. Настроение Пушкина стало совершенно подавленным, и он молча ушел.

Впрочем, на этом мистика в жизни Александра Сергеевича не заканчивается. Московский ученый, нумеролог Александр Глазунов, выявил странные закономерности цифры 6 в жизни Пушкина.

В предсказанную Кирхгоф ссылку поэт отправился 6 мая 1820 года. Помолвка с Натальей Гончаровой пришлась на 6 мая 1830 года. Свадьбу справили 18 февраля 1831 года. Если сложить все цифры — 18.02.1831 — по законам нумерологии, получится $1 + 8 + 2 + 1 + 8 + 3 + 1 = 24 = 2 + 4 = 6$. То есть опять значится в конце 6.

Наталье Гончаровой было в пору венчания восемнадцать ($6 + 6 + 6$) лет. Эти же три шестерки и в числе венчания: 18 февраля. Стоит ли удивляться, что, по свидетельству современника во время венчания нечаянно упали с крест и Евангелие, когда молодые шли кругом. Пушкин побледнел. Потом у него потухла свечка. «Все плохие предзнаменования, — сказал Пушкин, — уж не дьявол ли шалит?». К слову, число 666 называют числом антихриста, числом зверя, числом дьявола, губительно влияющим на человеческую судьбу.

Далее: в изгнании Пушкин провел ровно шесть лет, день-в-день. Шесть лет он был женат. Посетил Пушкин пророчицу, когда ему было восемнадцать ($6 + 6 + 6$) лет. Пророчества были ему даны в 1818 году. Здесь удваивается «число конца»: $1818 = 6 + 6 + 6; 6 + 6 + 6$. В предсмертном бреду (после ранения на дуэли) поэт провел тридцать шесть часов: опять двойное «число конца». Наконец, Пушкин умер восемнадцатым ($6 + 6 + 6$) лицеистом своего курса.

Когда же поэт скончался, его друг Андрей Жуковский снял с его мертвой руки золотой перстень «витой формы с большим камнем красного цвета и вырезанной на нем восточной надписью», который Пушкин завещал ему. «Красный камень» оказался сердоликом. Если мы откроем «Откровение святого Иоанна Богослова», то найдем описание города из золота и драгоценных камней: «Стены украшены всякими драгоценными камнями: основание первое яспис, второе сапфир, третье халкидон, четвертое смарагд, пятое сардоникс...». Стоит ли говорить, что шестым камнем в перечне оказался именно сердолик?..

Александр Суворов: обладал даром гипноза и увлекался целительством

Александр Васильевич Суворов (24 ноября 1730 –18 мая 1800) считается величайшим русским полководцем, о его полководческой гениальности много всего писано и сказано. Сообразуя и объединяя все свидетельства о нем, можно убедиться, что он являлся одним из выдающихся мыслителей своего времени. К тому же, он был очень смелым человеком, большим психологом, талантливейшим педагогом и даже умел иноязычно либо эзоповым языком выразить и донести до сознания императриц и императоров то, что не посмел бы никто другой. Ему завидовали, им восхищались, но и боялись и сторонились. Он мог поставить на место фаворита императрицы, например, последнего фаворита Платона Зубова, мог поспорить и настоять на своем в отношениях со знаменитым главнокомандующим Русским войсками и тайно венчанным мужем Екатерины II Григорием Александровичем Потемкиным. Мог спорить с тем, с кем никто не спорил в силу и слабого интеллекта, и в силу слабой воли, и недостаточного чувства собственного достоинства — с императором Павлом I, который признал его гениальные полководческие способности и успехи и присвоил редкое в мировой истории воинское звание — генералиссимуса.

Откуда такая смелость? Многие историки убеждены — все дело в гипнозе! Впрочем, это вовсе не умаляет его воинских достоинств, ведь гипнозом армию противника не взять... Просто когда он оказывался наедине с представителями власти, он «включал» свой дар и добавился того, что ему было нужно. Он мог подчинить себе волю любого человека, достаточно было взглянуть ему в глаза. Но самое любопытное даже не это...

Известно, что каким бы полком не командовал Александр Васильевич, вверенные ему солдаты никогда не болели, и уж тем более не умирали вследствие заболеваний. А все потому, что он обладал уникальным даром целителя — мог снять любую болезнь, лишь дотронувшись до больного места рукой, либо дав пожевать какую-нибудь собранную и засушенную травку.

Все началось еще в далеком детстве. Мать Суворова, Авдотья Манукова (в девичестве) была известной знахаркой, дар которой и секреты лечения людей ей, по некоторым данным передал родной дед. Он был армянином и у себя на родине без всевозможных лекарств избавлял от недугов всех, кто нуждался в помощи. Авдотья лечила подручными средствами — собирала, сушила и замачивала травы, подобно травнику, и уповала на молитвы и заговоры. Есть документальные свидетельства того, что когда будущий полководец был тяжело болен, и доктора отказывались от него, не в силах что-либо предпринять, она буквально выходила сына, поставила его на ноги.

Весьма заинтересовавшись ритуалами, с помощью которых его лечила мать, Александр решил обучиться ее мастерству. Она принялась его обучать, несмотря на протесты отца, который был военным и считал, что сын занимается «ерундой, не мужским делом».

Все переменилось, когда юный Саша впервые оказал помощь другому человеку. В дом к Суворовым часто был вхож генерал Абрам Ганнибал, прадед Александра Пушкина, — заезжал погостить. Однажды приехав, за чашкой чая, он пожаловался на сильные головные боли, и тогда мальчик — сын Суворовых предложил: «А давай, дядя Абрам, я тебя вылечу!». — «А давай!» — в шутку ответил тот, приняв это за игру. Александр встал сзади у него за спиной и, приложив ладони к вискам, принялся «бубнить что-то себе под нос». «Когда он отнял свои ладошки, — вспоминал Ганнибал, — боль прошла». После этого отец Суворова дал свое «добро» на развитие целительных способностей, правда, при условии, что они не будут мешать получению военного образования.

О целительном даре Суворова всю его жизнь ходили легенды. Говорят, чтобы воин с простреленными ногами мог, не чуя боли, встать на них и дойти до нужного места, ему достаточно было отхлестать ноги сломанной веткой ивы. Когда его «подопечные» не могли заснуть перед предстоящим на утро боем, он отпаивал всех чаем, настоянным на травах. К слову, целительные свойства подорожника, известные всем нам, наверное, с малолетства (если лист этого растения приложить к кровавой ранке, кровь остановится), считается, открыл также Суворов. Знания матери и свои личные он хранил в тетрадях, которые, как считается, были утеряны. И хотя время от времени в современной прессе появляются частные объявления от целителей, травников и чудо-лекарей, которые, якобы, используют в своей практике те самые чудом сохранившиеся записи, по факту все это оказывается обманом.

Алексей Маресьев: воскрес после смерти и общался с иным разумом

О подвиге этого человека знают все, кто когда-либо учился в советской школе, о нем непременно рассказывали как о примере нескончаемого мужества и стойкости духа. Когда его сбили за линией фронта, он 18 суток ползком пробирался к своим, а затем после ампутации обеих ног, сумел вернуться обратно в истребительную авиацию, уничтожать врага и стал в 1943 году Героем Советского Союза. Легендарной судьбе Алексея Петровича Маресьева (7 мая 1916 — 18 мая 2001) была даже посвящена книга Бориса Полевого «Повесть о настоящем человеке». Однако — ни в книге известного писателя, ни в школьных учебниках, ни на политзанятиях в вузах советских времен не говорилось о мистических происшествиях, не раз случавшихся в жизни героя.

Маресьев родился на Волге, в Камышине. В трехлетнем возрасте остался без отца — тот умер от ран вскоре после возвращения с Первой мировой войны. Мать, Екатерина Никитична, работала уборщицей и воспитывала троих сыновей. Алексей был младшим. В детстве он часто болел, в том числе малярией. Были серьезные проблемы с суставами. Сильные боли приводили к тому, что мальчик зачастую просто не мог ходить. К тому же он страдал и от мигреней. Однажды утром мать обнаружила, что ребенок не дышит — он лежал в своей кровати весь белый, пульс не прощупывался. Вся в слезах, женщина стала звать на помощь. Прибывший вскоре доктор констатировал смерть ребенка. Пока искали машину, чтобы перевезти тело в морг, Алексей вдруг открыл глаза и, с удивлением обнаружив суету вокруг себя, поинтересовался, что случилось. Для всех произошедшее было шоком.

Официальная медицина списала все на состояние летаргического сна, когда пульс почти не прощупывается, а сам паренек принялся рассказывать своим друзьям, что воскрес. Он говорил, что спал, и ему снился сон, в котором он гулял по саду, в котором росли яблони, усыпанные плодами, а над кронами деревьев кружили разноцветные бабочки, узор на крыльях которых играл в солнечном свете. Алексей пришел к выводу, что это все было раем — миром после смерти, куда, со слов его матери, попадали те, кто вел праведный образ жизни. Он мог бы там остаться, в этом раю, если бы так не стала убиваться его мать, которую, возможно, пожалели боги, вернув ей сына...

Уже в наши дни сын Маресьева рассказал журналистам, что, по признаниям его отца, рассказывать о том случае ему попросту запретили в советские времена, потому как это шло вразрез идеологии, и если бы он не держал свой язык за зубами, пропагандистская машина могла бы и не сделать его героем.

В 1937 году Маресьева призвали в армию. Служил он в 12-м авиационном погранотряде на Сахалине. Затем был направлен в авиационное училище, которое окончил, получив звание младшего лейтенанта. Тогда-то и началась война.

В апреле 1942 года во время операции по прикрытию бомбардировщиков над Демянским плацдармом в Новгородской области немцы подбили самолет Маресьева, и машина быстро устремилась вниз. Удар о землю смягчили деревья. Выброшенный из кабины летчик упал в сугроб и потерял сознание. Сколько он пролежал, не двигаясь, — точно неизвестно, но, как рассказывал незадолго до смерти сам летчик, сначала перед глазами была кромешная тьма, которая медленно стала рассеиваться, после чего все залилось светом. Он как будто оказался в идеально чистой белой комнате, все вокруг было белым-бело. Он ощущал себя в этом помещении, но не видел ни своей тени, ни рук, ни ног. Через какое-то время он услышал голос откуда-то сверху. Голос механический, как будто извлекаемый из динамика радиоприемника. «Голос, который я лично для себя прозвал вселенским разумом, спросил, хочу ли я жить, — вспоминал Алексей Петрович. — Я ответил, что конечно, да, хочу! Тогда он поинтересовался, готов ли я жить, если что-то случится с моей внешностью, и я взмолился: «Да! Что угодно со мной пусть будет, лишь бы только остаться в живых!». Тогда вселенский разум предложил открыть глаза и пообещал, что жизнь героя в том холодном лесу не оборвется. «Возможно, все это почудилось или было сном, — рассказывал журналистам Маресьев, — но я помню это, как будто все происходило буквально вчера».

Алексей очнулся и огляделся, вокруг — безлюдный лес. Самолет был сбит над территорией, занятой врагом. Значит, нужно скорее пробираться к линии фронта, к своим. Попробовал встать на ноги и вскрикнул от боли: ступни обеих ног были покалечены. Алексей голодал, страдал от холода и дикой боли — началась гангрена. Волоча обмороженные ноги, упорно двигался на восток. Когда сил уже почти не оставалось, Маресьев перекатывался со спины на живот, затем снова на спину.

Замерзавшего в лесу пилота нашли и спасли сельские мальчишки. Несколько дней колхозники ухаживали за Маресьевым. Врача не было, а медицинская помощь требовалась незамедлительно. В начале мая недалеко от села приземлился самолет, и Маресьева отправили в госпиталь. Герою пришлось ампутировать обе ноги в области голени. Ради спасения жизни. Но он выжил. И не просто выжил, а решил во что бы то ни стало вернуться в авиацию. И это ему удалось. Он смог освоить протезы на обе ноги, научился ходить и летать, после чего вернулся на фронт.

«Это было моим вторым воскрешением и вторым отправлением на линию боя, — вспоминал он. — И во второй раз мне не было страшно. Наверное, потому, что я знал, что не умру на войне. А даже если умру, снова встречусь с Разумом и снова попрошу подарить мне шанс жить».

В 2001 году, 18 мая, в Театре Российской армии планировался торжественный вечер, посвященный 85-летию Маресьева. Однако за несколько недель до празднования он вдруг объявил сыну Виктору, что опасается за то, что организаторы потратят слишком много денег на торжество. «А вдруг я не смогу на нем присутствовать? Всем же обидно будет», — сказал он. В день мероприятия, за несколько часов до концерта, Алексей Петрович скончался от инфаркта. Торжественный вечер все же состоялся. Он начался с минуты молчания. Многие присутствовавшие в тот день зрители говорили об одном феномене: тень от пламени свечи, которую держал ведущий, отражавшаяся на заднике сцены, в какой-то момент приняла очертания лица Маресьева — сотни людей узнали героя, по залу прокатился возглас удивления, а кто-то даже подумал, что это всего лишь спецэффекты. По удивительному стечению обстоятельств заснять на фото или видео появление призрака героя никому не удалось.

Альберт Эйнштейн: встречался с путешествующими во времени

Физика-теоретика, одного из основателей современной теоретической физики, почетного доктора около 20 ведущих университетов мира, Альберта Эйнштейна (14 марта 1879 — 18 апреля 1955) заслуженно считают гением своего времени. Любителям же непознанного во всем мире не дают покоя недвусмысленные заявления ученого. Например, о том, что дыры и даже целые коридоры во времени существуют.

Так, в 1930 году Эйнштейн дал интервью известному индийскому писателю Рабиндранату Тагору, которое состоялось у него на даче. Во время беседы физик был в прекрасном расположении духа, много шутил, а потому многие читатели в будущем воспринимали его заявление, как шутку. Но было ли это юмором? Используя в своей речи множество сложных физических формул и формулировок (которые Тагор не цитирует, чтобы не вводить в заблуждение своих читателей), Эйнштейн впервые во всеуслышание заявил, что существуют дыры в пространстве (кстати, авторство формулировки «коридоры во времени» также приписывают Эйнштейну) существуют. Ученый убеждал: в путешествиях через время и пространство нет ничего сложного. Достаточно в нужный день в нужное время оказаться в конкретном месте на планете, которое легко вычислить, имея географические карты и обыкновенную линейку. По мнению гения, на планете существует порядка 180 точек, которые время от времени открывают портал в иные измерения. Причем, внешне они никак и ничем не выделяются, они незаметные человеческому глазу. Но достаточно ступить в такую точку в определенные моменты и часы, как вы тут же переместитесь в эту же точку, но спустя определенное количество лет. Вперед или назад, и в какие годы вас закинет — вопрос, требующий изучения, а поскольку повелевать себе подобные перемещения он, Альберт, еще не научился, слишком рано, по его мнению, объявлять о таких телепортациях ученому сообществу. Во-первых, не было гарантий, что человек, переместившийся куда-либо, вернется назад. Во-вторых, всегда есть риск, что на «точке перемещения» спустя годы построят, к примеру, дом, или часть суши, где она расположена, затопит водой, образуется море, и в случае телепортации человек попросту разобьется о каменную стену или утонет. Наконец, в-третьих, изучения требовали и предположения о том, что перемещением в пространстве можно повлиять на ход истории. Что будет, если принести что-то с собой из будущего?

«Человечество пока не готово к таким открытиям, — говорил Эйнштейн. — Но я знаю, что в будущем все это будет развито и путешествия во времени будут частыми и повседневными явлениями. Можете мне поверить, потому что я неоднократно встречался и разговаривал с людьми, которые пришли ко мне из будущего, говорили странно, рассказывая невероятные вещи, были одеты еще более удивительно, но при этом не являлись сумасшедшими».

Говорил Эйнштейн и о Боге (как было не затронуть эти темы в общении с писателем из Индии, страны богов). Он сделал невероятное по тем временам заявление. По его мнению, Бога не существует. «Бог, — утверждал ученый, — в душе каждого человека. И это не живая сущность, а всего лишь чувство — такое же, как совесть, например. А то, что мы принимаем за Бога и его проявления на земле, то есть Бога, изолированного от нас в некоем другом мире (на небесах) не существует. Кажущиеся же нам божественными проявления в виде знамений на небе, появление лика человеческого и святынь верующих в облаках есть ничто иное, как гости с других планет». Эйнштейн не просто верил в инопланетян, убеждая всех, что земляне — не единственные обитатели вселенной, он был убежден, что пришельцы регулярно посещают нас с целью изучения, а спустя годы, когда наши технологии и знания будут достаточными для того, чтобы путешествовать в пространстве, мы также будет летать на другие планеты и наблюдать за другими обитателями.

«Я очень часто становился объектом наблюдений, — говорил гуру физики. — Такой интерес понятен — мои работы вызывают определенный интерес у чужеземцев, я не исключаю, что они попытаются вступить со мной в контакт, как с человеком неглупым...».

Альберт также рассказывал о таком случае. Однажды он отдыхал у себя на даче, поднял голову вверх и увидел «второе солнце» — огромный желтый шар, зависший буквально над ним. С его слов, в тот момент он почувствовал себя муравьем. Ведь как мы можем наступить на муравья, раздавив его, так и сам он мог в любой момент стать жертвой явления. Впрочем, пришельцы вступать с ним в контакт не стали, и, понаблюдав за ним некоторое время, удалились.

Кстати, знаменитую теорию Большого взрыва (из которого появилась Вселенная, которая с тех пор только расширяется) Эйнштейн всегда критиковал, называя отвратительной. Недавно была опубликована рукопись Эйнштейна от 1931 года, в которой он говорил, что никакого взрыва не было, а сама вселенная имеет «мистическое, то есть необъяснимое» (цитата) происхождение. Он был убежден, что на земле и по сей день могут происходить явления, которые не могут быть объяснены научно, к ним он относил появление новых видов растений и птиц, появление новых материалов, возникновение знаний. Ученый писал о возможности мистического появления и изменения всего материального на земле. Однако вскоре Эйнштейн нашел ошибку в своих расчетах и забросил «мистический» след в истории.

Альфред Хичкок: встречался с сущностями из темного мира

Его до сих пор называют Королем Ужасов. Под его влиянием и с его цитатами сделан каждый второй современный триллер. Его методы создания таинственной атмосферы питают кинематограф не меньше, чем технология компьютерных спецэффектов. Незадолго до его смерти была опубликована обошедшая потом весь мир фотография: Альфред Хичкок (13 августа 1899 — 29 апреля 1980) внимает ворону, сидящему на его плече. Что-то дьявольское просматривается в этом снимке. Погружаясь в биографию такого человека, ждешь встреч с мистическими тайнами и предзнаменованиями...

Родители маленького Альфреда были набожны и придерживались строгих правил католической морали. Однажды, очень рассердившись на мальчика за какую-то пустяковую провинность, отец отправил его с запечатанным письмом в ближайший полицейский участок. Прочитав письмо отца мальчика, полицейский запер Альфреда в карцер, сказав ему: «Вот, что мы делаем с непослушными детьми!». Педагогический эффект превзошел все ожидания. Просидев в карцере всего 10 минут, все последующие 75 с лишним лет своей жизни Альфред Хичкок боялся сам и заставлял бояться миллионы людей. Позднее в своих воспоминаниях он писал, что в той темной камере ему привиделись существа из других миров и измерений, а потому создавать монстров для своих фильмов в будущем ему никогда не было сложно — он просто вспоминал сущностей из детства...

Спустя несколько лет Хичкок вновь встретился с сущностями из темного мира. С началом Первой мировой войны Альфред попытался уйти на фронт добровольцем, но из-за непомерной полноты его «забраковали». Тогда он устроился на работу в рекламный отдел фирмы, выпускающей электрокабели. Однажды начальник дал ему поручение — сделать рекламные фотографии продукции. Альфред решил провести, как бы сейчас сказали, фотосессию. Он сплел из кабелей некую конструкцию, включил электроприборы в розетку, и в это время его ударило током. Сознание он потерял мгновенно и, как рассказывали очевидцы, был в отключке почти пять минут. Причем, доктора впоследствии говорили, что это само по себе является феноменом: такого просто не могло бы быть, мозг не может не работать такое длительное время.

Придя в себя, Хичкок рассказывал, что в бессознательном состоянии оказался в некой лесной лощине. Было темно, но не из-за того, что, что стояла ночь, а по причине того, что деревья над головой были настолько ветвистыми, и ветви так пересекались между собой, что не было видно света. Земли под ногами также не было — она состояла из трупов насекомых: мертвые пауки, жуки, черви, опарыши... Когда он аккуратно наступал на них, ступни с чавканием наполовину проваливались в эту массу. Он не знал, куда идти и шел прямо, от одного ствола дерева к другому. При этом вокруг постоянно раздавались пугающие звуки, а откуда-то из мрака постоянно появлялись то мертвецы, то существа неописуемой формы. При этом дышать было невозможно — воздух был наполнен запахом гари и нафталина.

Закончилось все в тот момент, когда в лесу обнаружилось озеро. Вода была грязной и тухлой, но Альфред решил омыть в ней ноги, которые были изрядно испачканы. Наступил в воду и... мгновенно провалился, уйдя по самую голову. Очнулся же он, когда уже лежал на полу в фотостудии.

После этого Хичкок решил связать свою жизнь с миром кинематографа и, придя в кинокомпанию, предложил свои идеи. Поначалу его не поддержали, но на работу взяли — художником, поручив рисовать титры к кинофильмам. Уже позднее он опробовал свои силы в качестве сценариста, ассистента режиссера и, наконец, в 1925 году дебютировал в режиссуре своей первой картиной, став уже через несколько лет общепризнанным мэтром английского кино.

Вскоре имя главного создателя ужастиков обросло легендам. В голливудских кругах появился слух о необычной «силе проклятья» Хичкока. Достаточно ему было выгнать кого-то из актеров со съемочной площадки или расстаться еще на этапе кастингов, подготовки к съемкам — на этом карьера актеров заканчивалась. Известен случай, к примеру, когда одна молодая актриса поссорилась с режиссером, он ее выставил из павильона. Несмотря на былую востребованность после случившегося у нее не было сыграно ни одной роли.

Может благодаря всему этому английского режиссера боялись даже именитые кинозвезды. Если он приглашал — отказываться от съемок у него считалось дурным тоном (себе же дороже выйдет), мэтры соглашались играть даже за символические гонорары.

А еще на съемках фильмов Хичкока очень часто отказывалась работать аппаратура. Причем перед съемками операторы, осветители и звукорежиссеры все многократно проверяли. В воспоминаниях коллеги Хичкока писали: когда случалась очередная поломка, Альфред поднимал руки вверх и говорил, обращаясь к кому-то (к кому именно, переспросить у него никто никогда так и не решился): «Ты сегодня не в духе, да? Ну, нам очень нужно доснять этот эпизод. Ну, пожалуйста, разреши нам это сделать». Камеры удивительным образом вновь начинали работать.

Хичкок не раз говорил в своих интервью, что ненавидит людей и обожает издеваться над ними. Поскольку основным окружением гения были актеры, им и приходилось терпеть его нападки. Так, на съемках фильма «39 ступенек» герои Роберта Доната и Мадлен Кэрролл по сценарию долгое время скованы наручниками. В один из дней Хичкок притворился, что потерял ключ, и бедным актерам под страхом быть уволенными пришлось целый день провести в металлических браслетах. А одной актрисе, у которой была жутка аллергия на рыбу (ее мутило от одного лишь ее запаха) на день рождения он прислал курьера с коробкой, в которой было четыре сотни копченых селедок. Он не щадил никого, дарил своим ютившимся в малогабаритных квартирках коллегам чудовищных размеров шкафы и кровати, которые им негде было поставить, а после издевательски интересовался, хорошо ли им спится. Кстати, диванные подушки-шутки, которые сегодня можно купить в магазинах розыгрышей (когда на них садишься, они немедленно издают громкий неприличный звук) придумал и запатентовал именно Хичкок. На одной из картин Хичкока работал нерадивый реквизитор. Он очень огорчал режиссера своей медлительностью и ленью. В конце каждой смены этот человек должен был ездить за 60 километров в город за реквизитом. В один из дней Хичкок перед самым отъездом подмешал ему в чай изрядную долю слабительного. Во время съемок легендарного фильма «Птицы» главной героине, которую играла Типпи Хедрен, также пришлось испытать на себе изощренный режиссерский садизм. Чтобы сцена, когда героиня подвергается атаке пернатых, получилась как можно более натуральной, Хичкок велел прилепить к ее платью за лапки живых птиц. Те, разумеется, начали нервничать и кусаться. А одна разгневанная ворона ухитрилась клюнуть Типпи в нижнее веко. Боль была настолько сильной, что актриса потеряла сознание. Детей Хичкок также не щадил: после того как актеры отказались сниматься на самом верху колеса обозрения, Хичкок загнал туда родную дочь, страдавшую боязнью высоты. Ребенка потом несколько месяцев лечили у психиатра. А пятилетней дочке Типпи Хедрен он подарил куклу, изображавшую ее маму лежащей в маленьком сосновом гробике. И до сих пор

Мелани Гриффит (та самая маленькая девочка) с ужасом вспоминает о подарке «сумасшедшего» режиссера.

В своих интервью Хичкок не скрывал своей ненависти к детям. «Вы спрашиваете, чего я боюсь больше, чем монстров? Детей! — сказал мастер. — Обязательно рядом должен быть кто-то из взрослых, помимо меня, в противном случае я начинаю сходить с ума. К тому же, вместе с детьми в этот мир часто проникают сущности из других миров, и это страшно...».

По той же причине Альфред Хичкок терпеть не мог яйца! «Неужели вы не видите, что там зарождается новая жизнь? Каждое яйцо — это дьявольский знак, нельзя есть то, что является семенем Сатаны».

В 1955 году кинокомпания «Эм-си-эй» предложила Королю Ужасов сняться в сериале под названием «Альфред Хичкок представляет». Это была антология таинственных, загадочных и не связанных между собой историй, сделанных в разных жанрах: от детектива до легкого ужастика, но, как правило, с неожиданной и мало предсказуемой концовкой. Особый колорит сериалу придавало то, что в прологе и в эпилоге каждого эпизода слово брал сам неподражаемый мастер. Однако вскоре после старта сериала случился скандал.

Некая неуравновешенная дама, посмотрев одну из серий, решила аналогичным способом избавиться от своего нелюбимого мужа: она привязала супруга к кровати и подожгла дом. После двенадцати (!) аналогичных случаев к продюсерам сериала пришли представители ФБР и устроили допрос с пристрастием. Все газеты того времени активно смаковали все подобные случаи, выдвигая версии, что Хичкок зомбирует людей, специально прибегая к магическим способностям, чтобы повысить рейтинг сериала. Доказать это фактически никому не удалось, но трансляцию сериала в скором времени все же прекратили — от греха подальше.

Анатолий Папанов: жаловался, что его душит по ночам домовой

4 августа 1987 года Анатолий Дмитриевич Папанов (31 октября 1922 — 5 августа 1987) не приехал на гастрольный спектакль в Риге. Спектакль пришлось отменить. Вскоре стало известно, что московская квартира известного актера была снята с сигнализации, ночью в ней горел свет. На звонки и стук в дверь никто не отвечал. Через соседний балкон проникли в квартиру, Папанова нашли сидевшим в углу ванны, ледяная вода заливала коридор. Врачи констатировали остановку сердца. Он никогда не жаловался на здоровье. В том числе и на сердце. Оно остановилось в тот момент, когда актер встал под холодный душ. Просто и буднично. Традиционное летнее отключение горячей воды в Москве справилось с тем, с чем не совладали война, голод, ранения и контузии.

Все, кто близко знал актера, утверждали, что за неделю до смерти он жаловался знакомым на странные ощущения, которые испытывает, находясь у себя дома. Со слов Папанова, нередко он просыпался оттого, что его душили чьи-то руки. Начинал задыхаться, отталкивать невидимого нападающего. Когда просыпался — в комнате никого не было. Он подходил к зеркалу в ванной комнате и видел следы от чьих-то рук на шее, которые проходили, исчезая полностью, через несколько часов.

Что это было, объяснить Папанову никто не мог, но знакомые посоветовали съездить к бабушке-знахарке в подмосковное село. Та сперва отпрянула от него, заявив, что в тело актера вселились бесы, но после, внимательно выслушав и поколдовав что-то с иконами, свечами и ветками лаванды, выдала, что ошиблась. Бесов, мол, в нем нет, а вот в его доме поселилась некая сущность, которую в народе величают домовым. Домовые, — пояснила она, — бывают хорошими, которые любят хозяев, помогают им, охраняют жилище. А бывают плохие и злые — если, например, их обидеть, чем-то не угодить. Бабушка посоветовала Андрею Дмитриевичу провести магический ритуал, направленный на налаживание отношений с «подселенцем». Ему предстояло сходить на кладбище, взять горсть земли с могилы, третьей от входа, насыпать ее в блюдце, сверху на него положить угощения и поставить рюмку водки. Все это расположить у изголовья кровати и прочитать заговор на древнерусском языке.

По словам актера, всерьез ритуал знахарки он не принял. Напротив, усмехнулся над ним и поведал друзьям, как о нелепости. Между тем, между визитом к бабке и смертью прошло ровно шесть дней...

Еще один мистический след в смерти Папанова связан с его участием в фильме «Холодное лето пятьдесят третьего».

Актерские поверья считают дурной приметой умирать в фильмах. Считается, если актер сыграет убийство, появится в кадре в образе трупа — его непременно постигнет та же участь уже в самое ближайшее время. Именно по этой причине многие отказываются играть роковые роли. Папанов не испугался. Его убили на съемках. Невероятно, но когда он умер в реальной жизни, на кухонном столе у него были найдены 10 000 рублей — гонорар за участие в киноленте «Холодное лето пятьдесят третьего», которое он получил накануне.

С 1948 года до конца своих дней Анатолий Дмитриевич работал в Театре Сатиры, став, наряду с Андреем Мироновым, самой крупной звездой этого театра, в свою очередь входившего в «тройку» самых знаменитых московских театров 1960-х — 1980-х годов («Таганка» — «Сатира» — «Современник»). Фантастический дуэт Папанов — Миронов известен миллионам кинозрителей по фильмам «Берегись автомобиля» и «Бриллиантовая рука», но на самом деле актерского апогея этот дуэт достиг в театре — в лучших спектаклях того времени — «Ревизор», «Горе от ума», «Вишневый сад», где Папанов играл соответственно Городничего, Фамусова и Гаева, а Миронов — Хлестакова, Чацкого и Лопахина.

В жизни актеры были очень дружны, и когда не стало Папанова, на похоронах Андрей Миронов, как рассказывают очевидцы, рыдал навзрыд, произнося слезные речи. Нередко в причитаниях он повторял фразу: «На кого ж ты меня бросил, как я буду играть без тебя? Как же ты меня оставил меня, мой друг? Зачем? Почему? Забери меня с собой».

Папанов «забрал» своего друга меньше, чем через две недели. Но это — сюжет следующей мистической истории...

Андрей Миронов:
в иной мир отправился вслед за своим другом

В августе 1987 года большой друг Анатолия Папанова и его постоянный партнер по сцене, актер Андрей Александрович Миронов (7 марта 1941 — 16 августа 1987), поехал с Театром Сатиры на гастроли в Ригу. В тот день играли спектакль «Женитьба Фигаро». За десять минут до конца, во время финального монолога Фигаро, на фразе «то ли потому, что я ей нравлюсь больше, сегодня она оказывает предпочтенье мне...» актер отступил назад, оперся рукой о беседку и стал оседать... Александр Ширвиндт (исполнитель роли Графа) подхватил его и на руках унес за кулисы, крикнув: «Занавес!». «Шура, голова болит», — это были последние слова Андрея Миронова, сказанные им на сцене и в жизни вообще... Миронов был доставлен в местную больницу, где через два дня, не приходя в сознание, скончался.

Когда Миронову стало плохо, администрация зала обратилась к расходившимся зрителям с вопросом — нет ли среди них медиков. Помочь вызвался присутствовавший на спектакле терапевт Леонид Гейхман. Позднее он рассказал журналистам, что, увидев Андрея, сразу понял, что это не просто обморок — это смерть. К сожалению, узнать подробности у него не удалось — не прошло и трех месяцев после случившегося, как сам доктор скончался от инфаркта.

Удивительно, но на тот свет меньше, чем за полгода отправились еще несколько человек, бывших рядом с Мироновым после обморока. От кровоизлияния в мозг умерла главный администратор концертного зала, которая, теоретически, могла поведать потомкам подробности трагического вечера. Скончался водитель «скорой помощи», который грузил тело актера в автомобиль и отвозил в больницу. В результате несчастного случая погиб доктор Евгений Евдокимчик, выезжавший в тот вечер на «скорой» по вызову в театр.

Уже в наши дни на съемках популярного телешоу «Битва экстрасенсов» участникам передачи было предложено погрузиться в события того дня и рассказать, что произошло с Мироновым и существует ли проклятье, из-за которого гибнут люди? Почти все экстрасенсы были единогласны: в иной мир его забрал друг. «В течение 40 дней после смерти, когда неприкаянная душа еще находится на земле, души умерших нас видят и слышат. При этом они способны выполнить какие-то наши просьбы или попросить «за нас» там, на небесах, — уверяли экстрасенсы. — Вот почему многие религии запрещают устраивать поминки по усопшим, плакать, причитать... Когда мы с надрывом души сожалеем о смерти близкого человека, часто теряем контроль над собой и говорим странные вещи — просим открыть глаза — хоть разок еще взглянуть на нас, дать нам какое-то послание. Иногда (особенно когда у родителей умирают дети) они причитают: «Лучше бы я вместо тебя», «Мне без тебя не жить», «Забери меня с собой»... Люди зачастую не задумываются, что душа умершего может действительно взять с собой особо причитающих, самых близких людей. Причем это может произойти не сразу, а спустя какое-то время».

Как причитал Миронов на похоронах Папанова, обсуждала вся театральная Москва. Не прошло и двух недель, как самое страшное случилось — он тоже отдал Богу душу.

Причем мистики отмечают просто невероятные стечения обстоятельств в смерти актера. В том августе в Юрмале неожиданно собрались вместе все родные и близкие Андрея Миронова. В санатории «Яункемери» отдыхала мама Андрея Мария Владимировна, в Юрмале — и первая жена Миронова Екатерина Градова с дочкой Машей, и вторая — Лариса Голубкина, тоже с дочкой. «Он как будто собрал всех, чтобы попрощаться», — говорили потом в народе.

Умер Миронов не сразу — двое суток он пролежал в коме в больнице, но ничего радикального врачи сделать так и не смогли — уже наступили необратимые разрушения в мозгу. За это время в клинике, где лежал Андрей, перебывали почти все его родственники и друзья. В какой-то момент в больничную палату через приоткрытую форточку залетел голубь, причем как он умудрился протиснуться в небольшую щель — загадка. Перепуганная птица принялась метаться по палате, после чего в отчаянии упала прямо на кровать актера, ему в ноги. Птицу взяла в руки медсестра и выпустила в окно. Все посчитали это очередным страшным предзнаменованием. В сознание актер так и не пришел.

Анна Ахматова:
была колдуньей и читала чужие мысли

На портретах она похожа скорее на восточную царицу, чем на русскую поэтессу: горделивый орлиный профиль, потаенная печаль во взоре... В молодости величайшую русскую поэтессу Анну Андреевну Ахматову (11 июня 1889 — 5 марта 1966) звали «ассирийской принцессой» и «египтянкой». Были и те, кто усматривал в ее профиле колдовские черты, неспроста еще при ее жизни многие считали ее ведьмой и побаивались оказываться с ней рядом. Когда она была уже в почтенном возрасте, ходили слухи, что Анне Андреевне достаточно взглянуть на недоброжелателя — его тут же разбивала какая-нибудь болезнь. О «ведьмином глазе» поэтессы ходили легенды. Говорили также, что она заговаривает свои стихи мистической силой. Якобы, ее читатели могли потерять разум, а столичные психиатрические клиники, якобы, переполнены теми, кто начитался «ведьминых стихов».

По одной из версий прабабушка Анны Горенко (это настоящая фамилия поэтессы) по материнской линии происходила из рода татарского хана Ахмата, где она вплоть до последних дней своих была личным оракулом хана. Она будто бы и передала свой дар наследнице.

Правда, все это больше из разряда слухов, ничем не подтвержденных. Однако были в биографии Ахматовой и реальные эпизоды, окутанные мистическим ореолом. Например, у нее имелись сильные способности к предвидению. Так, в семнадцать лет на даче она услышала разговор двух своих тетушек о соседской барышне — мол, и красавица, и умница, и талантливая, наверняка ей уготовано блестящее будущее... «Если не умрет в шестнадцать лет в Ницце от чахотки!» — вдруг выпалила Аня, дремавшая с книжкой в качалке... Вскоре девушка и в самом деле скончалась от туберкулеза в Ницце, куда она приехала лечить болезнь...

Возможно, за такие «пророчества» Анну и стали называть ведьмой. Первый супруг, поэт Николай Гумилев, посвятил ей такие строки: «Из логова змиева, / Из города Киева, / Я взял не жену, а колдунью...». Неудивительно, что брак двух поэтов через несколько лет распался: Гумилеву было неуютно с «колдуньей»...

Анне Андреевне не раз удавалось читать мысли других людей. Как-то в Париже она пересказала художнику Амадео Модильяни его кошмарный сон, в котором он рисовал людей с изуродованными лицами, а они потом оживали... Своей подруге Лидии Корнеевне Чуковской она всегда звонила именно в тот момент, когда та сама подходила к телефону, чтобы позвонить ей... А Надежда Мандельштам со временем даже привыкла к тому, что приятельница отвечает на ее не высказанные вслух мысли...

Осенью 1924 года Ахматова шла по набережной Фонтанки в Ленинграде и вдруг подумала: «Сейчас встречу Маяковского!». В то же время она знала, что Маяковский находился в Москве. И тут увидела — он идет ей навстречу! Поздоровавшись, поэт сказал, что как раз думал о ней, хотел повидать, но не знал, как ее найти... Ахматова каким-то образом сумела уловить его мысли...

У Ахматовой была своя теория о том, как получать информацию «ниоткуда». Она утверждала, что для этого надо просто расслабиться и думать о чем-то отвлеченном. Однажды при ней начали вспоминать фамилию какого-то человека. Внезапно Анна точно назвала его фамилию, хотя ранее этот человек был ей незнаком...

О своих стихах поэтесса говорила, что ей их кто-то «диктует». Она никогда не могла писать «заказных» стихов, как другие поэты. Кроме того, Ахматова считала, что ее стихи непостижимо связаны с ее собственной судьбой. Так, в 1915 году она написала стихотворение «Молитва»: «Дай мне горькие годы недуга, / Задыханья, бессонницу, жар, / Отыми и ребенка, и друга, / И таинственный песенный дар...».

Так все и случилось: два ее мужа — Николай Гумилев и Николай Пунин, а также сын Лев Гумилев были репрессированы, а ее произведения много лет не публиковали за «несоветскость».

В 54 года с Ахматовой приключилась еще одна странная история. Она собиралась выйти замуж за своего старого поклонника — Владимира Гаршина, племянника известного писателя Всеволода Гаршина.

Гаршин, оставшийся в блокаду вдовцом, писал ей романтические письма в Ташкент, где поэтесса находилась в эвакуации, звал связать с ним свою судьбу... Но, когда Анна Андреевна вернулась после войны в Ленинград, «жених» встретил ее холодно. Ей пришлось остановиться не у него, а у друзей... Было очень неловко, так как она уже всем объявила, что выходит замуж...

Когда поэтесса все-таки спросила Гаршина, почему он передумал жениться на ней, поставив ее в такое неудобное положение, тот ответил, что покойная жена перед кончиной заклинала его не связываться с «этой ведьмой». У Ахматовой сдали нервы, она стала кричать на Владимира... Несостоявшийся жених выбежал из ее квартиры, на прощание прошипев, что покойница-супруга была права...

Ахматова решила вернуть Гаршину его подарок — брошь «Клеопатра» с полудрагоценным камнем. Но, открыв шкатулку со своими украшениями, обнаружила, что камень треснул, расколов брошь пополам... Поразмыслив, поэтесса решила, что сама судьба отводила ее от этого брака. Недаром своим мужчинам она приносила одни несчастья. Может, и впрямь ведьма?

Антон Чехов:
должен был пройти ритуал изгнания бесов

Антон Павлович Чехов (17 января 1860 — 2 июля 1904 — общепризнанный гениальный писатель и драматург. Чехов не был святым или ангелом во плоти. Он часто пренебрегал жалобами сестры, мучавшейся от мигрени и одиночества. От своих поклонниц требовал невозможного — оставить его в покое после мгновений счастья. Тем не менее, люди к нему тянулись, как мотыльки на пламя свечи. Во многих странах его рассказы читали запоем, а в Японии после атомной бомбардировки первым спектаклем, поставленным в возрожденном театре, был «Вишневый сад».

Сам Чехов говорил, что не верит во все мистическое и потустороннее, потому что всему, с его слов, можно найти объяснение. Между тем, в его жизни было несколько случаев, которые он так и не смог объяснить.

Родился будущий писатель в Таганроге в семье купца, бывшего крепостного, владельца бакалейной лавки. Его отец торговал без особого рвения, больше интересуясь церковными службами, пением и общественными делами. У Антона не было полноценного детства: он то сторожил лавку отца, то пел в церковном хоре. Однажды когда Антон охранял лавку, на нее было совершено нападение. В торговое помещение ворвался неизвестный мужчина с ножом, который потребовал отдать ему деньги и кое-что из еды. Несмотря на то, что грабитель был в несколько раз крупнее мальчугана и держал в руках оружие, паренек набросился на него, скрутил, обезоружил и только тогда стал звать на помощь. Как сам Чехов объяснял, он побоялся быть ограбленным из-за того, что его отругает отец, а откуда у него вдруг проснулась недюжинная сила он не понимал. Не понимали этого и взрослые, которые узнали, что случилось. В криминальных хрониках того времени о преступнике писали, что «ростом он был метра под два, имел солдатскую выправку и был неимоверно силен».

Кто-то из окружения Чехова пустил слух о том, что в мальчика вселился какой-то из бесов или демонов, который дремал до поры до времени, но, почуяв опасность, проявился. В этом сплетники настолько убедили отца ребенка, что тот привел Антона в церковь для проведения ритуала экзорцизма. Впрочем, священник отказался делать ритуал, сказав, что не видит в ребенке признаков одержимости.

Второе мистическое происшествия случилось в 1888 году. Однажды ночью Антон проснулся в холодном поту и рассказал родственникам, что ему привиделся страшный сон. Будто его старший брат Николай подошел к кровати, склонился над ней, поцеловал в голову и сказал: «Ты спи, спи, а мне пора, мы больше с тобой не увидимся». Вечером того же дня пришло трагическое известие — брат писателя скоропостижно скончался.

Чехов очень сильно переживал, и вскоре после похорон уехал в Одессу, где гастролировал Малый театр. Там он познакомился с некой молодой артисткой по фамилии Панова, но роман свадьбой не закончился. Как писали историки, после страстной ночи любви, писатель буквально вытолкал ее за дверь, не дав даже полностью надеть всю одежду. Девушка была в недоумении, на что писатель изрек: «У меня было видение: если я тебя не выгоню сейчас, я не расстанусь с тобой до конца дней, а жить с тобой до старости мне совсем не хочется». Современные специалисты списали бы такое поведение на депрессию, в те же времена (во многом с легкой руки Пановой) светские круги начали сплетничать о психических отклонениях писателя.

В 1890-х годах Чехов был самым читаемым писателем в России. Вдруг он принимает странное решение: ехать на Сахалин, остров каторжан. Он едет через всю страну, изучает жизнь каторжан и ссыльных. На Сахалине Чехов даже проводит перепись населения, составляет около 10 тысяч статистических карточек. Во время переписи он знакомиться с женщиной, которая снискала славу гадалки и весьма увлекается её пророчествами. Как минимум два раза в неделю он начинает посещать ее и просить разложить карты. Увлечения сеансами заканчиваются как только гадалка делает неприятный для писателя прогноз: она пророчит, что он обеднеет и будет проживать в нищете в разваливающемся старом доме.

Вскоре дела у писателя и вправду пошли плохо. Заказов на книги не было, все денежные сбережения были потрачены. Тогда он принимает решение на последние деньги купить имение в Мелихово. К нему переезжают жить его сестры и мать с отцом, а также младший брат Михаил. Чехов обустраивает быт с огромным энтузиазмом и даже начинает вести дневник с отчетами о состоянии природы, о визитах гостей, приездах и отъездах родных. Он также работает земским врачом и во время холерной эпидемии обслуживает 25 деревень.

Вскоре у Антона Чехова обострился туберкулез, он был вынужден сменить климат и перебраться жить в Ялту. Во время болезни он разговаривал — его домашние поначалу посмеивались над ним, а после стали записывать фразы, сказанные писателям в объятиях Морфея. Уже потом, спустя годы, стало известно, что в бессознательном состоянии он предсказал немало событий из своей жизни. В частности, описал дом в Ялте (который ему только предстояло купить), рассказал о встрече с Максимом Горьким (которая состоится спустя несколько лет), описал свою даму сердца — девушку, которую он встретит лишь через два года. Ею станет ведущая актрисой Московского Художественного театра, и с ней писатель наконец-то решится на создание семьи. «Ребенок! Ребенок будет мертвым!» — все тогда же, во время ночного видения, изрек писатель. И это пророчество сбылось: в 1902 году у беременной Книппер случился выкидыш.

В мае 1904 года смертельно больной Чехов вместе с женой поехал отдохнуть в Баденвейлер, знаменитый курорт на юге Германии. Пара отдыхала около двадцати дней, после чего однажды вечером, после ужина, Антон Павлович сказал: «Что-то плохо я себя чувствую, может пора помирать?» и велел супруге принести шампанского: «Умирать — так с весельем на душе». Не торопясь, он осушил фужер пенистого напитка, лег, повернувшись на левый бок, и вскоре умолк навсегда.

Антонио Гауди:
в окружении толпы призраков

Антонио Гауди (25 июня 1852 — 10 июня 1926) называют самым необычным архитектором в истории человечества, а еще архитектором-мистиком, чья жизнь и творчество окутаны тайной.

Гауди был единственным выжившим ребенком в семье кузнеца Франциско Гауди-и-Корнет. За его жизнь так же опасались, поэтому крестины состоялись на следующий же день после рождения. Свое имя мальчик получил в честь матери, Антонии. Однажды, уже спустя несколько лет, в дом к семье Гауди придет доктор, он осмотрит маленького мальчика и начнет рассказывать родителям о тяжелом недуге ребенка и близкой его смерти. Все это время Антонио стоял за дверью и подслушивал. Вот тогда мальчик решил, что должен выжить во что бы то ни стало. И он выжил. Выжил для того, чтобы исполнить свое высокое предназначение.

В возрасте 11 лет отец отдает Антонио учиться в католический колледж. Особыми успехами мальчик не отличался, но два предмета его интересовали больше других — это были геометрия и рисование. А в свободное от занятий время будущий архитектор любил бродить со своими многочисленными друзьями по окрестностям родного города Реуса и исследовать местные монастыри.

Первая работа по иллюстрированию школьного журнала привела в восхищение всех учителей юного Гауди. На вопрос о том, откуда у мальчика взялось умение мыслить в трех измерениях и как развился талант переносить на бумагу образы и формы живой природы, мальчик важно и не по годам серьезно ответил: «Это дар от Бога».

Несколько позднее одноклассники великого архитектора рассказывали, что юный Гауди мог в течение долгого времени лежать на траве и смотреть в небо, наблюдая за медленным движением облаков, которые за считанные минуты могли преображаться и приобретать самые разные, порой причудливые формы. Правда, одноклассники Гауди говорили, что это не он обладает за сменой облаков, а облака меняются, когда на них смотрит юный гений. Впрочем, сам Антонио говорил, что ничего тайного здесь нет и сила его мысли тут не при чем.

Гауди не имел семьи и детей, он был одинок в личной жизни (в том смысле, каком мы привыкли понимать это выражение). Но судя по описанию его внешности, он был просто красавчик: настоящий денди, брюнет с голубыми глазами — этот мужчина вскружил голову не одной прекрасной синьоре. Романы в жизни Антонио Гауди были, даже бурные, однако все они заканчивались одинаково — женщина уходила, мастер оставался в полном одиночестве. Однажды судьба на одном из светских раутов свела с гадалкой, которой он задал только один вопрос: почему у него не складывается личная жизнь. На что она, раскинув карты, сказала пророческое: «Твое единственное предназначение — искусство, ты должен быть женат на искусстве». И с тех пор до самых последних дней его личной жизнью стала его работа.

Гауди совершил настоящую революцию в мире архитектуры, созданные им сооружения до сих пор удивляют всех. Интересно, что, неплохо зарабатывая, он мог позволить снять себе весьма шикарные жилища, однако, работая на очередном объекте, предпочитал жить прямо на стройке, где он оборудовал себе небольшую каморку, где обычно ночевал, — в грязи и в испачканной одежде.

В один из дней — 7 июня 1926 года — в обеденный час Гауди ушел со стройки и пропал навсегда. В тот же день, на одной из центральных улиц вытащили из-под трамвая тело неизвестного бродяги в старенькой рабочей спецовке. Он лежал распростертым на асфальте, истекая кровью, не видя обступивших его людей. Попавшего под трамвай отправили в больницу. Только через несколько дней в бродяге признали величайшего архитектора всех времен и народов — Антонио Гауди. Барселонцы как бы очнулись. Полгорода хоронило его, провожая в последний путь от Античного госпиталя на улице Рамбле до «Саграда Фамилиа», где Гауди погребли в склепе одной из часовен.

Уже после смерти произошло то, о чем несколько поколений испанцев рассказывали из уст в уста. Тысячи людей, в том числе известные и уважаемы персона, наблюдавшие за процессией, рассказывали, как видели в толпе пришедших проститься призраков.

Вот что писал об этом Сальвадор Дали: «Как-то старинный приятель Гауди уверял меня, что своими глазами видел, как по барселонским улицам волокли тело гениального зодчего, словно удавленника с накинутой на шею веревкой. Друга потрясло, что Гауди казался живым, только смертельно бледным... Толпа упивалась блудодейством, растлевая себя и смерть. Горели церкви, ризы, тлели священнические кости, и весь этот смрад клубами подымался к небу. Это было не просто предчувствием смерти... Когда он умер, это видели все, и я в том числе: за похоронной процессией шли призраки! И умершие молодые женщины, и удавленники с веревками и утопленники с посиневшими губами...».

Что это было? Загадка, которая стала частичкой истории. До сих пор в Барселоне по местам пролегания той самой процессии водят экскурсии, а в мистических кругах ходят легенды, что если проделать путь «от и до», обретешь частичку силы мастера.

Антуан де Сент-Экзюпери:
увидел, как его похищают инопланетяне

Антуан Мари Жан-Батист Роже де Сент-Экзюпери (29 июня 1900 — 31 июля 1944) — французский писатель и профессиональный летчик. Однажды мотор его двухместного самолета замолк, и Экзюпери спланировал на раскаленный песок прямо в центре Сахары. Удар был такой силы, что, казалось, выжить было невозможно — самолет буквально вошел наполовину в землю, а одно из крыльев отлетело на расстояние в несколько сот метров.

Летчик открыл глаза и осознал, что он жив и, к его удивлению, у него нет ни единого перелома, лишь многочисленные гематомы по всему телу. Рация хранила молчание, воды не было. Летчик забрался под крыло самолета и попытался заснуть. Однако через час он вздрогнул и раскрыл глаза: в нескольких метрах от него стоял мальчик в красном кашне, перекинутом через плечо.

«Не бойся, Антуан! Очень скоро тебя спасут!» — проговорил, улыбаясь, малыш. «Бред, галлюцинация...» — подумал Экзюпери и вновь закрыл глаза. Но еще через три часа он вскочил на ноги: в небе, рокоча мотором, кружил спасательный самолет.

Эту историю поведал миру сам писатель. По его мнению, мальчик, ставший последствием прототипом главного героя произведения «Маленький принц» был либо ангелом, либо инопланетянином с другой планеты.

«Это возможно, почему нет? — рассуждал писатель. — Наверняка жители других планет путешествуют и оказываются среди нас. Конечно, они намного больше развиты, чем мы, возможно, умеют читать мысли... У них есть чувства. Увидев несчастного разбившегося летчика, он решил поддержать меня — пусть не словом, а делом».

Впоследствии Экзюпери увлекся уфологией, его интересовали публикации в прессе, связанные с пришельцами, а однажды он увидел сон, о котором поспешил рассказать близким людям. Он проснулся от того, что среди ночи яркий свет, подобный полуденному солнцу, бьет в окно. Испытав чувство паники, он вскочил с кровати, подошел к окну и увидел большую машину, зависшую низко над землей — прямо напротив его окна. «Она лишь отдаленно напоминала самолет, скорее была похожа на блюдце правильной формы, в нижней части которой «бегали», сменяя друг друга разноцветные точки». Испугавшись, писатель спрятался за стенку дома, но тут же услышал женский (или детский голос): «Не бойся, идем, я покажу тебе другую планету». Он вышел из укрытия, и в этот момент от космической машины протянулся луч — аккурат к окну дома писателя. Он встал на луч как на что-то прочное, не имея материальной основы, он был тверд и не прогибался под ногами. Боясь потерять ориентацию, аккуратно шаг за шагом Антуан стал приближаться к кораблю пришельцев. Уже у источника света, откуда исходил чудо-луч, он разглядел дверь, которая приветливо отворилась внутрь. Прежде, чем пригласить гостя на борт корабля, все тот же голос спросил: «Ты уверен, что хочешь полететь с нами? Если да, делай шаг». Писатель переступил порог и... проснулся.

Экзюпери был убежден, что ночные видения были предупреждением ему о том, что он не умрет своей смертью. С помощью популярных в те времена во Франции сонников он растолковал увиденное как предвестие того, что попадет в автомобильную аварию, причем ночью, когда фары встречного автомобиля ослепят его. Он и предположить не мог, что вспышка произойдет на самом деле, задав неразрешимую (до сих пор) задачку уфологам.

31 июля Сент-Экзюпери выполнял боевое задание — он отправился с аэродрома Борго на острове Корсика в разведывательный полет, из которого не вернулся. Оче-

видцы говорили, что видели в небе светящийся объект, который буквально поглотил боевую машину.

Долгое время об исчезновении писателя ничего не было известно. И только в 1998 году в море близ Марселя один рыбак обнаружил браслет. На нем было несколько надписей: «Antoine», «Consuelo» (так звали жену летчика) и «c/o Reynal & Hitchcock, 386, 4th Ave. NYC USA». Это был адрес издательства, в котором выходили книги Сент-Экзюпери. А спустя два года в мае 2000 года ныряльщики на 70-метровой глубине обнаружили обломки самолета. После проведенной экспертизы было установлено, что именно им и управлял Сент-Экзюпери.

Интересно во всей этой ситуации то, что останков тела не найдено. Более того, обломки самолета, из которых он был восстановлен почти полностью, не имеют никаких следов обстрела. У исследователей актуальными по сей день являются две версии: умышленное самоубийство пилота (но куда тогда делось тело?) и его исчезновение (но как такое возможно?!).

Аркадий Райкин:
писал письма счастья и считывал знаки

В детстве у многих из нас была забава: писать так называемые «Письма счастья». В те времена, когда еще не было адресов электронной почты и письма в конвертах приносил почтальон, мы могли получить такой конвертик, как правило, подписанный анонимом. А в нем — скопированный под копирку текст, суть которого заключается в том, что вы получили самое настоящее письмо счастья. Если вы растиражируете его, создадите десять (а то и двадцать или даже пятьдесят) копий, и разошлете их такому же количеству своих знакомых — вас непременно ждет успех и исполнение мечты, которую вы загадаете в процессе написания. Если же вы проигнорируете письмо, отправив его в мусорное ведро — ждите беды.

Хотите верьте — хотите нет, но в свое время такое письмо получил будущий выдающийся советский актер Аркадий Исаакович Райкин (11 октября 1911 — 17 декабря 1987). Об этом нередко в своих интервью вспоминает сын Райкина, Константин. Отец при жизни поведал ему историю о том, как в 1929 году, работая лаборантом на Охтинском химическом заводе, он неожиданно обнаружил в металлическом шкафчике с одеждой подкинутое кем-то письмо счастья. «Чем черт не шутит», — подумал Аркадий и весь вечер провел за тиражированием послания, а на следующий день перед работой заехал на почту, купил пачку конвертов и разослал послания тем, кого знал. Желание при этом он загадывал только одно — стать актером.

Удивительным образом после проделанного ритуала мечта Райкина начала осуществляться. С первого раза удалось поступить в Ленинградский техникум сценических искусств, и закончить его — с отличием. Затем начинающий актер попал в Ленинградский ТРАМ (Театр рабочей молодежи), откуда его пригласили на

1-й Всесоюзный конкурс артистов эстрады, где после выступления с танцевально-мимическими музыкальными номерами «Чаплин» и «Мишка», он обрел долгожданную популярность.

«В это можно верить, а можно все списать на стечение обстоятельств, но отец на семейных торжествах частенько говорил, что своим успехом обязан письмам счастья», — говорит Константин Райкин.

Был в жизни Райкина-старшего и еще один мистический случай, который незаслуженно обошла вниманием пресса. Как-то Аркадий Исаакович должен был поехать на гастроли в Рязань, причем, на автомобиле, — специально для него прислали авто, приписанное местному райкому с личным водителем. Однако водитель поначалу заблудился в Москве и долго не мог найти дом, где его ждал артист. Когда машина все же была подана к подъезду, вдруг обнаружилось, что у авто спустило колесо. После того, как водитель подкачал его и Райкин уже сел на пассажирское сиденье, автомобиль отказался заводиться — стартер буквально надрывался, пока не заработал двигатель. Когда мотор взревел, артист вдруг отказался ехать на выступление. Заявил, что три знака судьбы говорят ему о том, что гастроли стоит отменить. Наказал водителю все слово-в-слово передать администрации, а заодно сообщить, что он готов заплатить неустойку за несостоявшийся концерт. Впрочем, передать водитель уже ничего не смог. На загородной трассе автомобиль влетел в грузовик. Причиной произошедшего дорожные инспекторы назвали человеческий фактор — шофер попросту уснул за рулем от усталости.

«Есть что-то, что меня отвело, — вспоминая об этом случае, частенько говаривал Райкин-старший. — Верим мы или нет, но кто-то за нами наблюдает и подает знаки. Надо просто научиться их читать».

Артур Конан Дойл: доказал, что с душами умерших можно общаться

Шерлок Холмс и доктор Ватсон... Этих всем известных литературных героев, их создатель, сэр Артур Конан Дойл (22 мая 1859 — 7 июля 1930) наделил своими знаниями и привычками, включая теософию и склонность к спиритизму. Но мало кто знает, что в жизни знаменитый британский писатель расследовал преступления, прибегая к мистике, а не к разрекламированному им же дедуктивному методу.

О биографии Конан Дойла, жившего всего сто лет назад, известно не так уж много. Причина в том, что до недавнего времени большая часть его архива (переписка, дневниковые записи и черновики) была недоступна исследователям — потомки не желали открывать общественности семейные тайны. Лишь относительно недавно публика узнала пикантные подробности благодаря запискам сына писателя — Адриана Дойла.

В частности, раскрылись удивительные факты, подтверждающие множественные слухи, — оказывается, Дойл был не только знаменитым писателем и литератором, но и ярким адептом спиритизма. Так, весной и летом 1887 года Артур Конан Дойл провел у себя дома несколько сеансов с участием профессиональных медиумов. Во время одного из сеансов дух категорически не рекомендовал ему читать книгу некоего Лея Ханта. Доктор никому не говорил об этом, но сам втайне раздумывал, читать ли ему сие творение или нет. Книгу Ханта он так и не взял в руки, но зато запоем читал другую эзотерическую литературу. Конан Дойл интересовался паранормальными способностями индийских йогов, левитацией, ускоренным проращиванием растений и тому подобным.

Говорят, очень сильно в загробный мир Дойл поверил, когда от ран, полученных в Первой мировой войне, погибли его сын и брат. Через медиумов писатель связался с погибшими родственниками и получил от них информацию, которую ни один медиум попросту не мог знать.

Некоторое время Конан Дойла увлекала доктрина теософии. Писателю была близка идея о том, что человек способен познать божество непосредственно, исходя из собственного мистического опыта. В трудах Елены Блаватской он разочаровался, прочитав критические работы о ней. Доктору нужны были доказательства материальные, которые можно было бы потрогать, и он, как казалось, обрел их в спиритизме. 26 января 1887 года Конан Дойл вступил в масонскую ложу «Феникс» и спустя месяц был посвящен во вторую степень вольных каменщиков, а 23 марта того же года ему присвоили степень мастера.

Однако Конан-Дойль занимался не только спиритизмом. Писателя вдохновляли всякие загадочные уголовные истории. Однажды он даже сумел разыскать исчезнувшего жениха-датчанина, а заодно разъяснил девушке-англичанке, почему не стоит выходить замуж за беглеца. Порой в письмах, которые получал доктор Дойл, содержались не детективные загадки, а мистические, не обошлось и без предложений отыскать затонувший корабль, полный сокровищ. Речь шла об английском паруснике «Гросвенор», на котором якобы вывезли из Бомбея знаменитый «Павлиний трон» — реликвию монгольских падишахов. Артур над этим предложением много думал, принимал участие в обсуждениях, рисовал карты, но плыть за сокровищами так и не решился — во время очередного сеанса спиритизма духи предрекли ему смерть на корабле, если он отправится в это путешествие.

В декабре 1926 года таинственным образом исчезла из своего дома королева детектива — Агата Кристи. Ее автомобиль со всеми вещами был найден брошенным, следов писательницы не обнаружено. Заместитель главного констебля графства Суррей был уверен, что убийство совершил ее муж.

Конан Дойл очень заинтересовался этой историей, провел спиритический сеанс и заявил публично, что Агата Кристи жива и скоро найдется, а ситуацию инсценировала, чтобы за что-то проучить своего мужа и привлечь внимание к своим книгам. Он также предположил, что на такой поступок писательница решилась, потому что была не здорова психически. Эти прогнозы, к слову, оказались правдивыми. Писательница вскоре нашлась, она умерла в глубокой старости у себя дома.

В 20-х годах прошлого века Конан Дойл опубликовал в газете статью «Новый взгляд на старые преступления», где на примере с Агатой Кристи утверждал, что полиции для расследования преступлений стоит прибегать к помощи экстрасенсов, и это может давать потрясающие результаты. Артур вообще часто писал статьи в разные газеты — в основном о таинственных явлениях, которым сам неоднократно бывал свидетелем. Несколько публикаций было посвящено человеку, который умел левитировать: на глазах писателя он мог плавно подняться в воздух, вылететь в раскрытое окно и приземлиться в соседней гостиной. Но больше всего эго забавляли существа из других измерений. «Гномы, призраки, привидения — все это существует», — верил он и убеждал других.

Во время одного из спиритических сеансов во время беседы со своей покойной матерью писатель узнал, что скоро в их доме появится неведомый духовидец и помощник. Его имя прозвучало странно: Фенеа. По словам духа матери, пять тысяч лет назад этот Фенеа был вавилонским писцом. Дух по имени Фенеа вышел на контакт с сэром Артуром в конце 1922 года. С того времени вавилонянин на протяжении нескольких лет незримо присутствовал среди членов семьи Дойл. Фенеа давал советы по воспитанию детей и ведению хозяйства.

Забавно, что дух советовал писателю больше гулять и не злоупотреблять... крепко заваренным чаем. Фенеа говорил о приближающемся конце света, и Артур Конан Дойл верил ему. Но Армагеддон все не наступал, и над писателем стали посмеиваться. Газетчики увлечение писателя миром духов объяснили тяжелой наследственностью сэра Артура: ведь его отец, хронический алкоголик, закончил свои дни в больнице для психически больных людей.

Артур Конан Дойл с истинно британским спокойствием не обращал внимания на насмешки. Вместе с верной женой он поселился в поместье Бигнел-Вуд. В зеленом оазисе за городом было все, чтобы пережить апокалипсис. По совету Фенеа, одна из комнат в доме была перекрашена в «защищающий всех» лиловый цвет. Именно в ней сэр Артур подолгу говорил с духом самого Чарлза Диккенса, который просил Конана Дойла дописать вместо него роман «Тайна Эдвина Друда».

В марте 1930 года писатель признался жене: «Дух сообщил мне, что седьмого июля я покину этот мир». Невероятно, но так и произошло. Артур Конан Дойл скончался в день, предсказанный ему из мира духов. В подготовленном заранее завещании писатель попросил провести поминальную церемонию в лондонском Альберт-холле. На церемонию собралось около восьми тысяч человек. Кресло в первом ряду, предназначенное, согласно тому же завещанию писателя, оставалось пустым.

Среди приглашенных гостей присутствовала известный медиум Этель Роберте, к которой Дойл при жизни частенько захаживал на спиритические сеансы. Увидев ее, вдова сэра Артура Джин обратилась к публике: «Леди и джентльмены! Вместе с завещанием мой муж передал мне этот конверт, запечатанный его личной печатью. Ни я, ни кто иной не знает, что в нем. Так давайте попросим госпожа Роберте узнать текст послания! Пусть она свяжется с духом моего покойного мужа, ведь он сейчас должен сидеть на этом, специально для него освобожденном, месте!».

Медиум охотно согласилась провести сеанс. Она подошла к пустому креслу, закрыла глаза, вошла в состояние транса и не своим мужским голосом (а некоторые утверждали, что голосом Артура Конана Дойла), произнесла: «Я победил вас, господа неверующие! Смерти нет. До скорой встречи!».

После этих слов конверт был вскрыт. Все присутствующие смогли убедиться, что именно эти слова были записаны на листе бумаги...

Борис Годунов:
умел превращать булыжники в золото

О жизни Бориса Федоровича Годунова (4 октября 1552 — 13 апреля 1605), русского царя, известно мало. Но в древних легендах можно найти упоминания о весьма любопытных деяниях. Например, говорится, что в 1589 году ему во сне приснилось, как создать водопровод для обеспечения водой Кремля. На следующий день он позвал придворных и объяснил, что следует делать. В итоге был сооружен первый в российской истории водопровод, который мощными насосами поднимал воду из Москвы-реки по подземелью на Конюшенный двор. Также, согласно свидетельствам, ему было видение, в каком месте в Сибири заложить город Томск.

Но самое интересное, что Годунов верил в алхимию и искренне верил, что золото можно получать из обычных камней, если вымачивать их в специальных растворах. Говорят, свои опыты он проводил годами, но когда ему с помощниками удалось превратить простой булыжник, у него снова случилось видение, и кто-то неведомый рекомендовал ему отказаться от идеи, дабы не погубить человечество. Рецепт превращения в золото был уничтожен, а всех, кто был причастен к его созданию, казнили.

Булат Окуджава:
сменил имя, чтобы не умереть

Знатокам жизни и творчества легендарного барда, советского и российского поэта, прозаика и композитора Булата Шалвовича Окуджавы (9 мая 1924 — 12 июня 1997) известны два мистических случая, один произошел через несколько недель после его рождения, другой — за несколько дней до смерти.

При рождении будущего барда родители, отец-грузин и мама-армянка, дали ему имя Дориан — в честь героя произведения Оскара Уайльда «Портрет Дориана Грея». Но случилось неожиданное: к матери Дориана на улице подошла незнакомая женщина и спросила: «У тебя сын недавно родился?». «Да», — ответила она. «Зачем же ты дала ему проклятое имя? Оно унесет его в могилу еще до того, как ему будет пятнадцать лет! — заявила женщина. — Срочно назовите его иначе. Возьмите лучше татарское имя»... Чтобы не накликать беду, при регистрации сына родители нарекли его новым именем — Булат.

Когда Булат Шалвович находился уже в преклонном возрасте, одному из его приятелей по домашнему телефону позвонила неизвестная женщина и потребовала дать ей телефон барда. Приятель, естественно, отказался это сделать. «Болван! Он же погибнет, если я его не предупрежу, — прокричала в трубку дама. — Тогда сам передай ему, чтобы не ездил в Париж, для него это очень плохо кончится!».

Приятель не придал значения этому сообщению, решив рассказать о нем Окуджаве по возвращению в Москву — бард гастролировал по Европе. После выступления в Германии он направлялся в столицу Франции. Еще на вокзале он почувствовал, что сильно простудился. К вечеру температура подскочила до 40 градусов и в течение трех суток не снижалась. Лучший терапевт ничего не смог поделать, и Окуджава скончался. Врачи развели руками: «От такой простуды еще никто не умирал...»

Василий Верещагин: путешествовал по астральным мирам

Василий Васильевич Верещагин (29 октября 1842 — 31 марта 1904) — выдающийся русский художник-баталист, еще при жизни получивший мировую известность. Он был автором циклов картин, правдиво и с глубоким драматизмом отображавших войны, которые вела Россия, запечатлел жестокие будни войны, тяжесть и героику ратного дела. Василий Верещагин создал картины батального цикла на темы Отечественной войны 1812 года, Туркестанской кампании и войны на Балканах. В сотнях жанровых, пейзажных картин Верещагин отразил свои впечатления о путешествиях по странам Востока. Много путешествуя, художник освоил жанр документально-этнографической живописи.

Верещагин, как утверждают исследователи, обладал даром медитирования. Он умел вводить себя в состояние нирваны, которое сам описывал как «сон наяву». Художник в красках рассказывал знакомым, что его душа научилась покидать тело, перемещаясь в пространстве. При этом она оказывалась в самых разных мерах, местонахождение которых он назвать не мог. «Это могли быть другие страны, а могло быть и наше будущее», — говорил он.

Художник всерьез увлекался астралом и научился встречать в «другой реальности» живых сущностей, общаться с ними. Правда, когда он рассказывал об этом близким, всерьез его никто не воспринимал. «Мало ли что во сне почудиться», — успокаивала его супруга Лидия. А ведь если бы его поддержали, он мог бы раскрыть нам столько тайн. Неспроста многие современники говорят о необычном мире, отображенном в некоторых его работах...

Известно также, что писатель панически боялся воды и часто говорил, что умрет, утонув. Так, в общем-то, и произошло: он погиб при взрыве броненосца «Петро-павловск», натолкнувшегося на японскую мину у Порт-Артура.

Василий Шукшин:
увлекался гаданиями по линии жизни

Талантливый писатель, кинорежиссер, актер и сценарист Василий Макарович Шукшин (25 июля 1929 года — 2 октября 1974 года) был известен своей страстью к хиромантии — гаданию по руке. В 1943 году юный сельский паренек закончил семилетнюю школу в одном селе Сростки и поехал поступать в Бийский автомобильный техникум. На автовокзале города Бийска, буквально только сойдя с автобуса, он был атакован женщиной, которая предложила ему погадать по руке. Василий Макарович вспоминал, что в детстве его часто стращали цыганками, с которыми стоило держать ухо востро, но эта женщина не похожа была на классическую смуглянку — скорее походила на нищенку, которая зарабатывает на жизнь чем может. Отдав ей деньги, приготовленные на обед, Шукшин протянул руку. Женщина сразу сказала, что в техникум он поступит, но его не закончит — пойдет работать (так и случилось — в 1945 году он вернулся в родное село и устроился работать в колхоз), что будет служить в армии по Калугой, и что станет известным в Москве. А еще (гадалка даже отпрянула и сперва не хотела говорить, что увидела) она призналась, что видит слишком короткую линию жизни, и констатировала: проживет он в два раза меньше, чем должен был.

В будущем, когда пророчества гадалки стало сбываться, Василий Макарович заинтересовался гаданием по руке и всякий раз, когда узнавал, что где-то практикует очередной хиромант, приходил к нему на сеанс. Это происходило на протяжении всей его жизни, не перестал он гадать по руке, даже став известным. Всем хиромантам, помимо прочих, он задавал волновавший его вопрос — правда ли, что линия жизни коротка, и ото всех получал утвердительный ответ.

Одна из гадалок по руке сказала, что Шукшин сопьется и умрет прямо на работе. Он действительно страдал из-за пристрастия к алкоголю и скоропостижно скончался на съемках фильма «Они сражались за Родину» на теплоходе «Дунай». Мертвым его обнаружил его близкий друг Георгий Бурков.

Виктор Цой: был шаманом и переместился в мир духов

Виктора Робертовича Цоя (21 июня 1962 — 15 августа 1990) заслуженно называют одним из культовых музыкантов современности. Музыкант, актер, основатель и лидер популярнейшей в свое время рок-группы «Кино» ушел из жизни на пике карьеры, попав в нелепую автомобильную аварию. Ранняя смерть способствовала рождению мифов.

Фраза «Цой жив!», утверждают мистики, вовсе не является переносной: среди «киноманов» существует мнение, что он не погиб тогда в автокатастрофе. Поклонники даже требовали вскрыть могилу и убедиться, что она не пустая, ведь хоронили музыканта в закрытом гробу, и немногие видели его мертвым. Представьте, каково было внимать этим слухам матери музыканта Валентине Васильевне, которая до самой своей смерти общалась с поклонниками сына, кормила тех, кто дежурил на его могиле... Знать, что такое количество людей убеждено, что твой единственный сын жив, — это была пытка. Однажды ночью в ее квартире раздался телефонный звонок, и неизвестный голос, похожий на голос Цоя, произнес всего одно слово: «Мама»...

В гибели Виктора Цоя много загадочного, неясного и действительно мистического. Он погиб под Ригой в автокатастрофе, когда возвращался с утренней рыбалки: не справился с управлением и врезался в автобус. Водитель машины, ехавшей за «копейкой» Цоя, рассказал лишь то, что всю дорогу машина ехала ровно, аккуратно, а потом скрылась из виду за поворотом, и именно там за долю секунды произошло что-то, что заставило музыканта выехать на встречную. Версий было много: был пьян, уснул за рулем, пытался вывернуть, чтобы не сбить выбежавшее на трассу животное, решил поменять кассету в магнитофоне и отвлекся... Но следов алкоголя в крови музыканта обнаружено не было, а экспертиза так и не смогла доказать, что Цой спал в момент смерти. Интересно, что музыкант всегда брал с собой на рыбалку сына, а в этот раз уехал без него — не захотел будить.

Другой известный музыкант Игорь Тальков, отозвавшийся на смерть Цоя песней, сказал, что его унесли светлые силы в тот момент, когда миссия музыканта была закончена, и сделал в чем-то пророческое заявление: «Когда я выполню свою миссию, меня тоже заберут, до старости я не доживу». Через некоторое время не менее загадочно погиб и сам Тальков.

При жизни Виктора Цоя всегда окружал ореол загадочности: он носил только черное, был сдержан в проявлении эмоций, говорил тихим голосом, подолгу размышляя над вопросами, уходил в себя. Ходили слухи, что певец является шаманом и время от времени проводит свои загадочные ритуалы. Сам он эту тему никогда не затрагивал, и о шаманстве не общался даже с самыми близкими людьми. Однако однажды на концерте произошел случай, который наблюдали сотни зрителей. На концерте в «Зеленом театре» во время исполнения песни Виктор настолько вошел в раж, что у него внезапно изменился голос, как будто он впал транс и остаток песни он исполнил каким-то «загробным и ужасающим скрипом, а не голосом». Именно слухи о шаманизме, к слову, дали основание полагать многим эзотерикам, что после смерти душа артиста переместилась в мир духов.

Владимир Вернадский: снял семейное проклятье со своего рода

Дед гениального ученого-универсала, геолога, мистика, музыканта и отца советской ядерной программы Владимира Ивановича Вернадского (28 февраля 1863 — 6 января 1945) служил в армии Суворова, причем был там не штатным солдатом, а военным лекарем. Поскольку Суворов славился своей страстью к знахарству и траволечению, многому он научил своего солдата, который, в свою очередь, передал немало секретов внуку.

Но это еще не самые интересные факты из жизни ученого. Все тот же дед, вернувшись с войны, женился на украинской дворянке Екатерине Короленко. У них стали появляться дети, но все либо умирали в младенчестве, либо погибали при трагических обстоятельствах. Василий знал, что на нем лежит отцовское проклятие из-за того, что он не захотел становиться священником и пошел по «колдовскому» пути: вместо того, чтобы служить молитве, увлекся лечением травами. И лишь благодаря множеству проведенных ритуалов для «очищения» и снятия проклятия в семье родился-таки здоровый малыш, которого нарекли Иваном. У него, спустя годы, появился сын Владимир, после чего можно было вздохнуть с облегчением: «проклятие дома Вернадских» было снято.

Зная историю своего рода, Вернадский всегда пренебрежительно относился к церкви. Кроме того, ученый был агностиком и серьезно увлекался эзотерикой. «Я по природе мистик, — писал он, — я интересовался религиозно-теологическими построениями, спиритизмом... чувствовал вокруг себя присутствие сущностей, не улавливаемых теми органами чувств, которые дают пищу логическому мышлению...». По отношению к христианству Вернадский был почти ересиархом: «Пора избавиться от узкого христианского деления на дух и тело. Настоящая душевная жизнь, настоящая идейная сторона жизни состоит именно в использовании лучших сторон и тела, и духа». Из всех «посмертных концепций» с наибольшим пиететом относился к восточным представлениям о метапсихозе, переселении душ. При этом Вернадский оставался агностиком и заявлял, что в вопросах жизни и смерти «путь решения не может привести к удовлетворению».

Весной 1920 года Вернадский серьезно болел тифом. Тогда он увидел свое будущее: «В мыслях и образах, мне пришлось коснуться многих глубочайших вопросов жизни и пережить как бы картину моей будущей жизни до смерти. Умру я между 80-82 годами, и эту информацию я получил не в церкви... Отпевать меня не нужно, ставить на могилу кресты тоже».

Владимир Высоцкий: увидел свое отражение в памятнике майя

Владимир Семенович Высоцкий (25 января 1938 — 25 июля 1980) — пример выдающегося человека своего времени, который не только оставил след в обществе с помощью своих произведений, он оставил еще и глубокий след в сердцах миллионов его поклонников. Конечно же, в его жизни было немало необъяснимых и таинственных событий...

...Послевоенный берлинский пригород. Разруха, воронки снарядов, повсюду — следы недавних боев. Пока отец десятилетнего Володи, военный связист, нес свою службу в гарнизоне, мальчик в компании друзей обследовал окрестности в поисках трофеев. Совершенно случайно ребята обнаружили склад боеприпасов и, не говоря об этом никому из взрослых, решили развлечься. Развели костер и бросили в него что-то похожее на мину... Взрыв был такой силы, что его слышали за несколько километров, а поднятой землей накрыло всех ребят. Лишь чудом никто не погиб, но все как один лишились зрения, некоторые получили ожоги тела, оставшиеся на всю жизнь, кто-то сломал руку. И лишь один паренек не пострадал вообще — лишь запачкал землей одежду. Он был цел, хотя находился почти у самого костра. Это был будущий легендарный артист... Ни он, ни кто либо другой не понимал, как такое могло произойти. «Это было чудо, выйти из самого пекла без малейшей царапины», — вспоминал Высоцкий.

Прошло 20 лет, Высоцкому — 30, юбилей отвечали в компании жены и друзей. Внезапно Владимир захрипел, горлом пошла кровь. Он упал на пол, забился в конвульсиях и отключился, потеряв сознание. Врачи, прибывшие на место, развели руками: состояние безнадежное. Просьбу отвезти его в больницу проигнорировали — рекомендовали подождать около получаса, когда окончательно отключиться мозг, и вызвать труповозку... Шокированные друзья музыканта с этим не смирились и решили (как они потом вспоминали) действовать интуитивно. Не имея никаких познаний в области физики и электричества, предположив, что сердце Володи забьется, если его «взбодрить» шоковым ударом, они схватили со стола настольную лампу, оголили провод и, воткнув вилку в розетку, поднесли его к телу друга. К удивлению всех Высоцкий открыл глаза и зашевелил губами, пытаясь что-то произнести. Ему помогли встать, усадили в автомобиль и сами привезли в клинику, где над ним в течение десяти часов трудилась реанимационная бригада. Владимир выжил буквально чудом. Врачи не поверили озвученному им способу «оживления».

Погибнуть Высоцкий мог еще как минимум дважды в автомобильных авариях. В одном случае лишь чудом он разъехался с вылетевшей ему лоб-в-лоб «Волгой», водитель которой потерял сознание. Машины задели друг друга по касательной. Другой случай и вовсе похож на сюжет из фильма ужасов: ведя свой «Мерседес» на загородной трассе, Высоцкий отвлекся от дороги, разыскивая что-то в бардачке, а когда поднял глаза, обнаружил, что перед ним практически в нескольких метрах стоит огромный груженый трубами грузовик. Видимо, из-за какой-то ситуации впереди, грузовик резко затормозил. Певец нажал на педаль тормоза и... Остановился в метре от огромной махины. Но и это было еще не все. От резкого торможения из кузова грузовика вылетела труба, которая разбила лобовое стекло «Мерседеса». В лицо и на голову кумира миллионов прыснули сотни осколков. Однако... Его самого труба не задела. А когда он вышел и отряхнулся, обнаружил, что на нем нет ни малейшей царапины...

На гастролях в Средней Азии в 1979 году во время прогулки по бухарскому рынку Владимиру стало плохо. Сердечный приступ, дыхание исчезло, пульс не прощупывался. Врач Анатолий Федотов, который, по счастью, в тот момент находился рядом, сделал укол прямо в сердце. Шли томительные минуты, казалось, Высоцкого уже ничто не спасет, но он возвратился — буквально с того света. Встал, открыл глаза и... рассказал присутствующим анекдот.

После женитьбы на гражданке Франции Марине Влади Высоцкий получил редкую для советского человека возможность путешествовать по всему миру. Однажды, будучи в Мексике, Владимир посетил памятники архитектуры древних майя. По воспоминаниям Влади, на одном из каменных барельефов он увидел... собственное изображение. На вопрос, чьи лица высечены в камне, экскурсовод ответил: «Это люди, которые больны душой...».

В одной из песен Высоцкого есть такие строки: «Зачем цыгане мне гадать затеяли, день смерти предсказали мне они». По воспоминаниям очевидцев, такой мистический случай действительно имел место. Друзья-цыгане предложили Влади вытащить две карты. Это оказались туз червей и девятка пик, что означает «любовь» и «смерть».

Спустя несколько лет после кончины поэта о трагическом прогнозе напомнила семейная фотография в альбоме Марины Влади. Вокруг головы Высоцкого и сестры Марины — Татьяны (сценический псевдоним — Одиль Версуа) на снимке образовались светящиеся круги. Любимая сестра и муж умерли с интервалом в один месяц.

В свой последний день Владимир точно знал, что вот-вот покинет этот свет. Он говорил о своем уходе и как бы прощался с друзьями. Предчувствие поэта не обмануло. Удивительно, но даже даты рождения и смерти всенародного любимца подчинены некоей необъяснимой системе: их разделяет ровно полгода (25 января родился, а 25 июля ушел в мир иной).

Владимир Гиляровский: охотился на привидений в подземельях

В конце XIX — начале XX веков трудно было в Москве найти человека, не знавшего дядю Гиляя — так прозвали известного публициста и бытописателя Владимира Алексеевича Гиляровского (26 ноября 1855 — 1 октября 1935). Громадный, больше похожий на циркового борца, чем на вечно спешащего репортера, стремящегося раскопать что-то сенсационное, казалось, он знает о Москве все. О столичных событиях он писал для газет «Известия», «Вечерняя Москва», журналов «Прожектор» и «Огонек». Читатели ждали его публикаций, особенно имеющие налет непознанного и сверхественного, чего было немало. Но наибольший интерес вызывают не те мистические события, о которых он написал «с чьих-то слов», а те, которые происходили с ним лично.

Так, однажды Гиляровский решил описать, что происходит не в городе столичном, а «под городом»: спустился по катакомбам в подземные коммуникации под Кремлем. Мечтал найти какой-нибудь клад или отыскать что-то ценное с археологической точки зрения, а вместо этого... повстречался с привидением.

«Старушка в плаще и старинных очках, — описывал ее автор, — шла по длинному туннелю. Я сначала окрикнул ее — подумал, что кто-то заблудился или проживает здесь, ведь во все времена ходили слухи о какой-то расе подземных жителей, которые живут в недрах и боятся солнца. Но она не останавливалась. Я побежал за ней, приблизился, хотел положить руку на плечо, чтобы она обернулась (вдруг не слышит, вдруг потеряла слух от старости), но моя рука прошла сквозь ее тело. Я опешил, а она меж тем обернулась и зло посмотрела на меня. Мне вдруг показалось в этот момент, что у нее не лицо с глазами и губами, а обнаженный череп. И тогда я осознал, что старушка эта — привидение».

Подобные встречи в жизни Гиляровского встречались и позднее, он очень смачно описывал их в рубрике «Хотите — верьте», поскольку в другие разделы газеты материалы редактор ставить отказывался. Меж тем, Владимир Алексеевич несколько лет потратил на доказательство существования привидений. Он опросил сотни людей, которые видели подобные сущности, побывал во всех местах, где они бывают и даже составил карту столичных привидений. На ней были нанесены места появления не только привидений в образе людей, но даже привидений животных — ему не раз приходилось видеть кошек с котятами и собак, которых нельзя поймать и даже пощупать.

Находясь уже в преклонном возрасте, Гиляровский пишет скандальную статью о проституции, в которой рассказывает, как бедствующие девушки оказывают услуги для состоятельных господ, и приводит даже адрес, по которому все это происходит. Через некоторое время девушка, которая узнала в публикации себя, из-за чего она была публично опозорена и вынуждена переехать, разыскала репортера, чтобы взглянуть ему в глаза и высказать свои проклятья. Как говорили очевидцы, она сказала: «Раз ты пишешь и этим зарабатываешь себе на хлеб, я проклинаю тебя. Пусть ты ослепнешь, чтобы не смог писать уже ничего!».

Гиляровский лишь посмеялся над ней. Но проклятье сбылось — через месяц он тяжело заболел, болезнь дала осложнения на глаза и он ослеп полностью.

Владимир Маяковский: в шаровой молнии явился брат

Один из крупнейших поэтов XX века Владимир Владимирович Маяковский (7 июля 1893 — 14 апреля 1930) всегда называл себя реалистом, в мистические совпадения и явления не верящим, до одного памятного случая...

Дело было летом 1915 года. Как вспоминает поэт, в тот день разразилась страшная гроза. Грохотали раскаты грома, днем сделалось темно, словно на дворе была ночь. Поскольку сам Владимир Владимирович любил дождь — капризы природы вызывали у него вдохновение, а «запах дождя» настраивал на романтичную волну, он не стал прятаться в доме, а сел на табурет рядом с коном и распахнул его, ощущая как капельки дождя попадают на лицо и руки.

Как вспоминает Маяковский, в какой-то момент ливень вдруг стих и поднялся сильнейший ветер, такой, что стволы деревьев под окном сгибались почти до земли. Впрочем, он не спешил закрыть окно и все наблюдал за буйством природы. В этот момент случилось чудо.

Над рядом склонившихся, как по команде, деревьев, вдруг появилось яркое светящееся пятно, смотреть на которое было невозможно — до рези в глазах. Это пятно медленно плыло то в одну сторону, то в другую, будто раскачиваясь как на весах. Поэт догадался, что стал свидетелем такого явления, как шаровая молния, и вспомнил, что столкнувшись с ней, нужно вести себя как можно спокойно, ни в коем случае не убегать и не предпринимать активных действий — иначе оно отреагирует и взорвется.

Маяковский молча наблюдал за объектом. Он потерял счет времени, не знал, сколько времени это продолжалось. В какой-то момент шар вдруг замер на секунду, а потом с большой скоростью сорвавшись с места, стал приближаться к окну. Поэт и глазом не успел моргнуть, когда молния оказалась в нескольких метрах от него. Остановилась и зависла. Он смотрел на нее — она не двигалась. И тут он разглядел то, о чем впоследствии будет вспоминать постоянно. В центре шара ему привиделось лицо маленького ребенка и почудился его голос, который с детской непосредственностью посмеялся над ним и сказал: «Не бойся, я тебя не трону, ты же мой брат». Затем шар вдруг исчез — и на улице сразу стало темно.

Анализируя произошедшее, Маяковский предположил, что в шаровой молнии к нему явилась душа его родного брата, который скончался в трехлетнем возрасте.

Больше о мистике в жизни Маяковского его потомкам ничего неизвестно. Ну, разве что, как и многие его коллеги по литературному творчеству, он, говорят, почувствовал приближающуюся смерть.

Двенадцатого апреля 1930-го года он написал предсмертное письмо, в котором почти отсутствовали знаки препинания: «Всем. В том, что умираю, не вините никого и, пожалуйста, не сплетничайте. Покойник этого не любил...». А ровно через двое суток, 14 апреля, в комнате поэта на Лубянском проезде Москвы прозвучал выстрел, и его не стало. По официальной версии, Владимир Владимирович Маяковский покончил жизнь самоубийством.

Гарри Гудини:
занимался разоблачением медиумов

Иллюзионист высокого класса Гарри Гудини (24 марта 1874 — 31 октября 1926, Детройт, США) был величайшим фокусником всех времен и народов. Впрочем, сам он, когда его звали трюкачом, мог и обидеться, уверяя, что он — настоящий маг и использует в своей практике самую настоящую магию. Однажды в интервью газетчику он то ли в шутку, то ли всерьез, сказал: «Я продал душу дьяволу за то, чтобы быть королем магии, а вы говорите, что у меня фокусы ненастоящие... Обидно!». Может поэтому Гудини ненавидел всех своих коллег, часто выступал с разоблачениями их выступлений. А еще убеждал общественность, что медиумов не существует в природе и все, кто пропагандирует спиритические сеансы (чрезвычайно популярные в то время), — мошенники. Он обещал отдать все свое богатство тому, кто сможет вызвать дух его покойной матери. Никому это сделать так и не удалось.

Про Гарри (это творческий псевдоним, настоящее имя — Эрих Вайс) рассказывали, что уже в шестилетнем возрасте он показывал фокусы, умея заставить сухую горошину появиться в какой-либо из трех чашек. Когда в город, где он жил, приехал цирк, 11-летний Эрих изумил его хозяина своими фокусами с веревкой, и тот предложил ему работу. Спустя годы юноша женился, мизерной цирковой зарплаты уже не хватало. Он разместил в газете рекламу, предлагая показ своих трюков, но никаких заказов не поступало. Тогда он предложил услуги по вызову духов, и тут к нему пришла популярность. Он был востребован, его приглашали на десятки вечеринок ежемесячно, деньги текли рекой. Правда, как он сам потом напишет в воспоминаниях, «никаких медиумов не существует, я понимал, что совершаю обман, и меня это очень угнетало».

В 1900 году Гарри Гудини публично демонстрировал трюк с освобождением из наручников в Чикагской тюрьме, который принес небывалый взлет его карьере. Всю последующую жизнь он демонстрировал все более и более удивительные и шокирующие проявления своего мастерства, совершая невиданные доселе трюки: он освобождался от оков в ледяной воде, в считанные минуты выбирался из ящиков, гробов, бочек, почтовых мешков, сейфов и больших бумажных мешков, освобождался от веревок, вися на выступах высоких зданий, возвращался к жизни после того, как его хоронили заживо. На свете не существовало канатов, узлов или новоизобретенных хитроумных приспособлений, которые могли бы его удержать.

Как ему это удавалось? «После моих фальшивых спиритических сеансов меня ждала встреча с одним человеком, не являющимся земным жителем, но обитающем среди нас в человеческом обличии, — написал Гудини. — Он раскрыл мне секреты магии. С тех пор в моей жизни никакого обмана и никаких фокусов!».

В 1920 году во время поездки в Англию Гудини и его супруга встретились с Артуром Конан Дойлем и его семьей. Они начали дружить и вести активную переписку. Оба очень интересовались спиритизмом и часто спорили на эту тему: Дойл был горячим сторонником движения, а Гудини напротив — скептиком. Известно, что Дойл пообещал Гудини вызвать на спиритическом сеансе дух его матери, но потерпел крах. Вот как рассказал впоследствии сам иллюзионист: «Когда у Артура ничего не вышло, он развел руками: «Ничего не понимаю, все получалось раньше. Может быть, твоя мама поставила какую-то защиту, чтобы ее не тревожили?» После этого я окончательно убедился в нелепости манипуляций со спиритической доской».

Однако, по настоянию писателя, Гудини все же продолжил свои попытки погрузиться в мир медиумов — он больше двадцати раз присутствовал на сеансах Конан Дойла, каждый раз пытаясь его разоблачить. Но всякий раз, видя результат, удивлялся: «Как ты это делаешь? Как получаешь ответы на вопросы?». Во время одного из сеансов Гудини предложил другу провести эксперимент: когда явится дух (неважно чей), попросить его вселиться в тело Гарри. Так и было сделано.

Неожиданно для самого себя и для Артура Гудини вдруг закатил глаза и начал конвульсивно подрагивать. Конан Дойл спросил у духа, вселившегося в фокусника: «Ты от дьявола или от бога?». Гарри, не открывая глаз, взял в руки карандаш и нарисовал на листе бумаги крест. «Как тебя зовут?» — был вопрос к духу. Ответ: «Поуэлл». Сэр Артур Конан Дойль был ошеломлен, заявив, что Гудини вступил в контакт с духом его недавно скончавшегося друга Эллиса Поуэлла. Примечательно, что сам Гарри никогда ранее не знал о существовании человека с таким странным именем, и уж тем более предположить не мог, что они дружили с Артуром, и он недавно скончался.

Впрочем, вскоре Гудини, проанализировав события того сеанса, вдруг заявил, что ему что-то подсыпали в чай, дабы он на короткое время потерял сознание. А имя на листе бумаге нацарапал он не сам — ему его подсунул Дойл, пользуясь тем, что у него закрыты глаза и отключен разум. Заявления свои Гудини сделал публично, из-за чего навсегда рассорился с Артуром Конан Дойлем. В свою очередь Дойл разместил в нескольких журналах статьи, разоблачающие Гудини, где он попытался объяснить секреты его фокусов, заявив, что магией и мистикой в них и не пахнет.

22 октября 1926 года Гудини давал свое выступление в концертном зале в Монреале. Во время шоу на сцену поднялся один из зрителей, 20-летний щуплый студент, худой и невысокого роста. Как он потом пояснил, видя на сцене, что Гудини бьют кувалдой по животу, разбивают

на его теле камне, и как лошадь копытом наступает ему на живот, а ему все нипочем, он решил проверить пресс фокусника и спросил, можно ли ударить его кулаком в живот. «Конечно, можете бить...», — Гари не успел договорить фразу и напрячь пресс, как получил ударил его в живот. Он тут же потерял сознание и был госпитализирован, а спустя девять дней умер от перитонита.

Это было удивительно, поскольку удар не был сильным, да и сам студент был весьма щуплым и не мог нанести смертельные повреждения кишечнику. Тут же все маги, экстрасенсы, медиумы и ясновидцы того времени заявили, что в момент удара «защитная магия» не работала — Гари не был к этому готов. Он полагал, что между вопросом и ударом будет какое-то время, когда он успеет мысленно произнести магические слова, которые его защитят. Не успел...

Генри Форд: разрабатывал летающие тарелки для Третьего Рейха

Генри Форд (30 июля 1863 — 7 апреля 1947)известен, прежде всего, тем, что впервые стал использовать промышленный конвейер для поточного производства автомобилей. Его называют гуру автомобилестроения, а существующий по сей день бренд автомобилей, названных его именем, считается самым успешным, а сами машины «Ford» — самыми популярными в мире.

Меж тем мало кто знает, что Генри Форд активно сотрудничал с фашистами, а Гитлер лестно о нем отзывался и упоминал в книге «Майн Кампф». Заводы Форда производили для немцев военную технику во время войны и… разрабатывали летающие тарелки для Третьего Рейха. Именно Форд, веривший в инопланетян, убедил Гитлера в том, что новая техника, позволяющая завоевать мир, должна быть в форме летающих тарелок, и обещал — при достаточной поддержке (прежде всего, материальной) построить межгалактический корабль, который позволит перемещаться в пространстве в считанные секунды.

О разработках Третьего Рейха в области летающих тарелок сегодня известно немало (сохранились их чертежи, фото и даже архивное видео), однако вопросов с годами не становится меньше. Главный из них — куда делись секретные разработки (по некоторым версиям они были переправлены в Антарктиду и спрятаны в подземных бункерах). Увы, даже спустя два года после смерти Гитлера Форд хранил молчание о тарелках. Тайну он унес с собой в могилу.

Кстати, еще один любопытный факт из жизни Форда. Легендарную фразу, приписываемую Форду: «Автомобиль должен быть любого цвета, лишь бы он был черным», Генри на самом деле никогда не произносил. Ни в одном историческом документе она не упоминается и, скорее всего, родилась в умах рекламщиков уже в наши дни. А все свои автомобили он красил исключительно в черный цвет потому, что черная краска из всех доступных на тот момент сохла быстрее всего, что ускоряло производство.

Георгий Жуков: при обыске нашли магические атрибуты

Советский военачальник Георгий Константинович Жуков (19 ноября 1896 — 18 июня 1974), обладатель всевозможных титулов и наград, долгое время имел безупречную репутацию и в контактах с потусторонним миром замечен не был. Но... тайное стало явным в 1948 году.

Говорят, Иосиф Сталин ревновал Жукова к славе и авторитету и боялся столь мощной конкуренции. Поэтому и устроил репрессии. Сталинскую опалу (Жукова обвинили в разложении армии и угрозе захвата власти) Георгий Константинович переживал крайне тяжело. Его разжаловали в обычного командующего округом и привлекли к ответственности по «трофейному делу» — несколько генералов обвинили Жукова в незаконном присвоении трофейного имущества, а по сути в грабеже оккупированной Германии. Согласно протоколам, во время осмотра дома Жукова были обнаружены две комнаты, в которых хранились несколько тысяч метров различной ткани, сотни соболиных шкур, дорогостоящие ковры и гобелены, ценные картины классической живописи...

Но наибольший интерес для мистиков в описании представляют следующие позиции: «прозрачный стеклянный шар идеально гладкой формы неизвестного назначения», «прутья с металлическими вставками» (то, что сегодня экстрасенсы называют биолокационными рамками), подсвечники с набором свечей черного цвета, иконы и изделия из золота с нанесенной на них гравировкой с символами и знаками, язык и назначение которых установить не удалось.

Многие из этих артефактов сегодня можно обнаружить в музеях. При этом каждый, кто хоть немного знаком с миром потустороннего скажет, что все эти предметы нужны для проведения магических ритуалов.

Во время допросов на Лубянке у Жукова спрашивали, занимается ли он магией и колдовством. На все вопросы он дал отрицательные ответы. Но кто знает — может именно благодаря магии до поры до времени он был таким успешным военным?

Герберт Уэллс: предвидел чудеса будущего века

Герберт Джордж Уэллс (21 сентября 1866 — 13 августа 1946) известен всем в основном как фантаст, каждое из произведений которого стало классикой. Но ученых в его фантастических романах и рассказах привлекает отнюдь не литературная составляющая его работ, а предсказания. По подсчетам специалистов, до 80% пророчеств о будущем науки и техники, сделанных в книгах Уэллсом, сбылись. «Тепловой луч» марсиан из «Войны миров» — это лазер. Полет на Луну тоже состоялся — как будто по сценарию романа «Первые люди на Луне». В книге «Освобожденный мир» Уэллс предсказывает расщепление атома и создание атомной бомбы. В одном из его рассказов речь идет о телепередаче с Марса — и она недавно действительно осуществлена космическими зондами.

Не все знают, что Уэллс предсказывал не только в фантастических произведениях. В 1901 году он издал книгу предсказаний «Каким будет ХХ век», которая была издана во многих странах и переведена на 40 языков (в Москве, на русском, была опубликована в 1902 году под заголовком: «Предвидения»).

Начинает автор с транспорта. Он полагает, что железные дороги с их паровозами во многом лишатся своего значения, уступив его автомобилю: «Бесчисленные опыты с автомобилями, производимые в настоящее время, так возбуждают воображение и так много людей трудятся над их усовершенствованием, что не верится, чтобы неудобства этих экипажей — их толчки, неуклюжесть, оставляемый за собой неприятный запах — не могли быть вскоре устранены». А когда это произойдет, появятся очень широкие автомобильные дороги, некоторые из них — частные, платные. Возможно, для них разработают особые покрытия. Поездка на автомобиле удобнее железнодорожной, так как путешественник сможет останавливаться там, где ему вздумается, ехать медленнее или быстрее.

Появятся фургоны с двигателями внутреннего сгорания для развоза мелких грузов, а там и моторизованные омнибусы. Вдоль дорог возникнут мастерские для ремонта автомобилей. Железные дороги сохранятся — хотя бы частично — для перевозки тяжелых грузов и «оптовой» перевозки людей (так и произошло).

Развитие автомобиля позволит увеличить размеры городов. По мнению Уэллса, радиус города, удобного для жизни, обычно равен тому расстоянию, которое можно преодолеть за час. Если жители ходят пешком, диаметр города не превышает 10 км, если ездят на лошадях — вдвое больше, а если пользуются автомобилем, развивающим большую скорость — 45 км/ч, то он может составить 90 км. Причем Уэллс не сомневался, что 45 км/ч — не предел для автомобилей будущего. И к концу XX века население Лондона, Петербурга и Берлина превысит 20 миллионов жителей, а Нью-Йорка и Чикаго — 40 миллионов.

Внутри города для пешеходов Уэллс предвидел сеть движущихся тротуаро-конвейеров, которые нужно спрятать в систему туннелей, чтобы техника и пассажиры не страдали от превратностей погоды. «Траволаторы» — так их называл Уэллс на самом деле появились. Правда, не на улицах. Движущиеся тротуары можно встретить в аэропортах, крупных торговых центрах, а кое-где и в метро для преодоления длинных переходов между линиями.

О сенсационной новинке тех лет — радио — Уэллс упоминает только однажды: военный корабль, обнаружив в море превосходящие силы противника, сможет вызвать подмогу посредством беспроволочного телеграфа.

Несколько страниц автор уделяет быту XX века. Технические усовершенствования жилища сделают слуг ненужными: «В современном хозяйстве прислуга необходима главным образом из-за неправильного устройства домов. В будущем их, вероятно, будут строить разумнее. Утилизация мусора и стирание пыли легко доверить технике. Так как не существует хороших согревательных приспособлений, приходится приносить в дома огромные количества угля, а вместе с ним и грязи, которую приходится удалять с огромной затратой труда. В будущем дома станут нагреваться при помощи труб, проведенных в стены, от общего сильного источника тепла. Дома будут вентилироваться через трубы в стенах, в которых воздух будет нагреваться, пыль задерживаться, а испорченный воздух выводиться простым механизмом. Во многих домах еще сохранен обычай наливать в лампы керосин и чистить ваксой обувь, и этим занимается прислуга. В будущем хозяйстве керосиновых ламп не будет, а что касается обуви, то умные люди осознают, как неловко носить на себе очевидные признаки постоянного чужого труда, и станут носить такую обувь, чистка которой займет не более минуты.

Массу излишней работы берет в настоящее время и стол. Мытье посуды означает перемыванье и перетиранье каждого предмета отдельно, тогда как можно было бы всю грязную посуду класть разом на несколько минут в очищающий растворитель и затем, сливши его, обсушивать».

Большое значение Уэллс придает распространению телефона. «Вы только подумайте о том, что будет осуществляться при помощи телефона, когда он войдет в общее употребление. Труд шатания по лавкам почти отпадет: вы распорядитесь по телефону и вам хотя бы за сто миль от Лондона вышлют любой товар; в одни сутки все заказанное будет доставлено вам на дом, осмотрено и в случае непригодности отправлено обратно. Хозяйка дома, вооружившись трубкой и не двигаясь с места, уже будет иметь в своем распоряжении местных поставщиков и все крупные лондонские магазины, театральную кассу, почтовую контору, извозчичью биржу, доктора... С помощью телефона можно будет и работать, не выходя из дома, например, заключать сделки. И отпадет необходимость держать контору в центре города и ежедневно ездить на работу».

Радикально изменятся газеты. Если сейчас в них печатают «обо всем понемногу», чтобы привлечь как можно более широкий круг читателей, то в XX веке газеты станут специализированными — каждая на свою тему. Самые горячие и нужные многим новости — биржевые курсы, курсы валют, результаты розыгрыша лотерей и тому подобные сведения — станут поступать в дома по проводам и либо печататься на ленте вроде телеграфной, либо записываться на валик фонографа, чтобы подписчик мог их прослушать в удобное для себя время. Фонограф же будет почти в каждом доме, как сейчас барометр. В газетах по-прежнему останется много рекламы.

Уэллс указывает, что агрессором в войнах XX века, скорее всего, выступит Германия, но победа окажется за союзом других крупных держав.

Уэллс был сторонником евгеники — учения об улучшении «человеческой породы» путем поощрения многодетности здоровых, красивых, выдающихся, полезных для общества людей и запрета на размножение для больных, слабоумных, порочных. «Общество будет допускать существование в своей среде небольшой части населения, страдающей болезнями, которые передаются потомству. Это, например, умственное расстройство, неизлечимая страсть к опьяняющим веществам... Из жалости им позволят жить, но при условии, что эти люди не будут плодить детей. А если этим снисхождением станут злоупотреблять, то едва ли новое общество остановится перед истреблением таких элементов».

Любопытно и еще одно пророчество, которое будет особенно интересно всем мистикам. «Вера в магию, колдовство и все, что не поддается человеческому разуму, в конце XX века завладеет миллионами. Вот только не каждый допустит и мысль, что все чудеса можно объяснить материально, а настоящие чудо — это чудо рождения человека на земле», — считал Уэллс.

Дмитрий Менделеев: изобрел рецепт водки во сне

Всем известно: Дмитрий Иванович Менделеев (27 января 1834 — 20 января 1907) увидел во сне свою знаменитую таблицу, знакомую нам по школьным урокам химии, и придумал водку. Ту самую, 40-градусную. Ее формулу он также увидел во сне.

Все это не является вымыслом, потому как сам Дмитрий Иванович оставил для нас записи, в которых описал процессы рождения идей. Если верить ученому, любым изобретениям предшествовал длительный мыслительный процесс — он думал, читал книги. А потом ложился спать, и вдруг его озаряло: во сне он видел сложнейшие формулы и идеи, как решить непростые задачи. «Главное для меня было утром не забыть, что видел ночью, — как утверждают историки, однажды изрек Менделеев. — О, сколько бы я сделал открытий, если бы у меня была получше память!».

Во сне, если верить самому ученому, он поучаствовал даже в промышленном шпионаже! В 1890 году к Дмитрию Ивановичу обратился морской министр Николай Чихачев и попросил помочь добыть секрет изготовления бездымного пороха. Поскольку покупать такой порох было довольно дорого, великого химика попросили разгадать секрет производства. Приняв просьбу царского правительства, Менделеев заказал в библиотеке отчеты железных дорог Британии, Франции и Германии за 10 лет. По ним он составил пропорцию, сколько было привезено угля, селитры и т. д. к пороховым заводам. Однако все опыты оказывались неуспешными — порох все равно дымил. И тогда он... лег спать. Ночью он нашел решение мучащей его задачи и уже утром выдал два рецепта бездымного пороха. Как потом оказалось, один был в точности такой же, какой делали в Европе, а второй — эксклюзивный, более экономный.

В объятиях Морфея Менделеевым была увидена схема дробной перегонки нефти, после чего он — первым в мире! заявил и доказал, что сжигать нефть в топках — преступление, поскольку из нее можно получить множество химических продуктов. Он также предложил нефтяным предприятиям перевозить нефть не на арбах и не в бурдюках, а в цистернах, и чтобы перекачивалась она по трубам.

Над Менделеевым подшучивали коллеги, называя его «спящим ученым». А он не обижался и говорил, что это его маленькая особенность. И хотя находились люди, предполагающие, что с ученым общается демон, который диктуем ему свои секреты (а сегодня находятся уфологи, считающие, что во сне ученый подключался к некому космическому разуму, а то и вовсе связывался с инопланетянами), ничего подобного сам Менделеев никогда не подтверждал. «Я просто много читаю и много сплю», — говорил он.

Дмитрий Шостакович: искал избавления от венца безбрачия

Дмитрий Дмитриевич Шостакович (12 сентября 1906 — 9 августа 1975) известен как композитор, классик музыки XX века. В его биографии, которая вошла в справочники и учебники, говорится о необычном таланте и о государственной деятельности, огромном вкладе в развитие российской культуры. Реже можно найти упоминания про личную жизнь композитора. И уж в совсем редких архивных документах приводится конкретика, из которой можно узнать, что Шостакович был глубоко несчастным человеком — дважды он жил в гражданском браке, так и не доведя дело до свадьбы, трижды был женат.

Его первая жена, Нина Васильевна, была по профессии астрофизиком, училась у знаменитого физика Абрама Иоффе. Она отказалась от научной карьеры и полностью посвятила себя семье. Первый брак Шостаковича окончился со смертью Нины Васильевны от рака. Второй женой композитора стала сотрудница ЦК ВЛКСМ, однако и этот союз довольно быстро распался. Третьей женой Шостаковича, которому на тот момент исполнилось 55 лет, стала редактор издательства «Советский композитор» Нина Антоновна. Она была намного младше Шостаковича и была рядом с ним до последних дней его жизни. В своих воспоминаниях она писала, что когда только-только познакомилась с будущим мужем, он ее сразу предупредил: на нем — «венец безбрачия», некое проклятие, которое на его род по мужской линии наслала цыганка, которую чем-то обидел дед композитора Василий.

«Он был настолько убежден, что его прокляли, что это походило на сумасшествие, — писала Нина Антоновна. — Он вбил себе в голову, что первая супруга умерла, взяв на себя всю горечь проклятия, и был уверен, что со второй женой все будет лучше. Но они жили плохо, что и привело к разрыву».

Вместе с третьей законной супругой композитор втайне ото всех (дабы не стать посмешищем, не попасть в фельетоны на страницах газет и не быть отлученным от партии) ездил к бабке-знахарке в село неподалеку от города Михайлова Рязанской области, где над ним проводили ритуалы.

«Смешно было, когда он выполнял поручения пойти в церковь, купить свечу, нацарапать на ней иглой слова прощения и сжечь ее дотла на рассвете в четверг», — рассказывала Нина Шостакович. Однако то ли магия сработала, то ли сила убеждения — после проделанного личная жизнь к тому времени уже легендарного композитора наладилась.

Джон Кеннеди:
история проклятия легендарного рода

Когда Джона Фицджеральд Кеннеди (29 мая 1917 — 22 ноября 1963), 35-го президента США, застрелили, весь мир заговорил о проклятье рода Кеннеди.

Биографы редко вспоминают первого из Кеннеди, ступившего на американскую землю: о Патрике Кеннеди известно мало. Он родился в Ирландии, в графстве Вексфорд в 1823 году и был крестьянином. Как и многие его соотечественники, Патрик сбежал от страшного голода, поразившего Ирландию в 1840 году, в Америку. На корабле он встретил девушку по имени Мэри Джоанна и полюбил ее с первого взгляда. На американской земле у них родились пятеро детей. Наследником рода стал Патрик Джозеф, который умер 35 лет от роду, оставив жене неплохое наследство. С тех пор пошло...

Следующий Кеннеди умер вполне состоятельным человеком и владельцем собственного банка. Таким образом, у его сына, Джозефа Патрика Кеннеди, деньги были от рождения. Но ему были нужны не просто деньги, а очень большие деньги. После окончания Гарвардского университета он в 25 лет стал президентом банка. Накануне второй мировой клан Кеннеди был признан вторым по богатству семейством в мире (после Рокфеллеров).

Жена-пуританка считала, что секс нужен только для рождения детей. Девять раз за жизнь? Для Джозефа Патрика это было слишком мало, он стал искать утешения на стороне. У него было много любовниц-актрис, он спал со своей секретаршей Жанет де Розье и постоянно пользовался услугами проституток. При этом к женщинам он относился презрительно, использовал их и бросал. Таков был Джозеф Патрик Кеннеди — отец будущего президента США. Именно он, как считают мистики, навлек на своих детей проклятье. Есть также версии, что его могли проклясть либо одна из бывших любовниц, либо супруга, которой приходилось мириться с выходками мужа.

Джозеф Патрик и Роуз родили девятерых детей. Почти всех наследников ожидала страшная участь. Сперва в сумасшедшем доме оказалась дочь Розмари. Она с детства страдала задержкой умственного развития, и у нее были неконтролируемые вспышки гнева. В 1941 году, по настоянию отца, врачи сделали Розмари лоботомию. Операция прошла неудачно. Девушка превратилась в то, что психиатры между собой называют «овощем», — в существо, неспособное к самым простым осмысленным действиям. Она умерла в психбольнице. Другая дочь, Кэтлин, осталась вдовой во вторую мировую войну, а несколькими годами позднее, в 1948-м, погибла в авиакатастрофе. Ей было всего 28 лет. Тогда ее отец впервые сказал: «Над родом Кеннеди тяготеет проклятье». Сын Джозеф воспитывался как наследник богатейшей семьи — Лондонская школа экономики, Гарвард. До звания магистра юриспруденции оставался один год, когда Джозеф Патрик записался добровольцем в военную авиацию. После года патрульных полетов в Карибском море в сентябре 1943 года его перевели в Англию. Он был пилотом тяжелого бомбардировщика, лучшим в своей эскадрилье. 12 августа 1944 года Джозеф Патрик вылетел на очередное задание — в район, откуда немцы запускали ракеты «Фау-2». По неизвестным причинам загруженный восемью тоннами взрывчатых веществ самолет взорвался в воздухе.

Похоже начиналась биография и у Джона. Экономика — в Лондоне, право — в Гарварде, добровольцем — во флот. В ночь с 1-го на 2 августа 1943 года торпедный катер под командованием лейтенанта Кеннеди был подбит торпедой, пущенной с японского крейсера. Кеннеди проплыл 5 км до берега острова Новая Джорджия, буксируя раненого матроса. Он спасся, чтобы прожить еще 20 лет, стать президентом США и погибнуть от пули убийцы.

К слову, Роберт пережил его всего на пять лет. Он стал министром юстиции и был застрелен арабским фанатиком, который приговорил его к смерти за то, что американские демократы питали симпатию к Израилю. Один из его сыновей — Дэвид умер от наркомании в 1984 году, другой — Майкл — в 1997 году решил покататься на горных лыжах и разбился насмерть.

Возможно, после всего этого недавняя гибель сына президента Джона Кеннеди покажется кому-то случайной. Кто мог предвидеть, что самолет, в котором, кроме него, находились его жена Каролина и свояченица Лорен, упадет в океан? Разве что их дед — Джозеф Патрик, — когда говорил, что над родом Кеннеди тяготеет проклятье...

Джон Леннон: нищий старец подсказал девиз на всю жизнь

Когда будущей звезде легендарной группы «Битлз» Джону Леннону (9 октября 1940 — 8 декабря 1980) было девять лет, его остановил на улице нищий — пожилой мужчина в обносках — и, посмотрев сквозь мальчика, сказал: «Ты — первый». Возможно, он и не запомнил бы эти слова, если бы ночью он не увидел во сне того же старца, который повторил: «Ты — первый. Запомни это!». Джон запомнил. Спустя годы, после первого знакомства с Полом Маккартни он скажет ему: «Я — первый. Запомни! Каким бы виртуозом ты ни был, ты — второй»... Он на самом деле стал первым. Было время, когда его знали и любили все. В своих интервью артист говорил, что старец тогда, в детстве, подарил ему девиз на всю жизнь и уверенность в себе.

Как и у любого творческого человека, у Джона были свои «причуды» и одна из них заключалась в том, что он, если не любил, то уж точно отдавал дань числу «9». В нумерологии девятка считается главным числом, символом высокого знания и самовоспроизведения. Число 9, по сути, представляет собой начало и конец жизненного опыта человека. Знал ли это Леннон, неизвестно, но вот то, что в его жизни почти все было связано с девяткой — это бесспорно. Причем, перебирая даты и события из жизни музыканта, невольно поверишь в мистику...

Вы обратили внимание, сколько будущему музыканту было лет, когда он услышал судьбоносное пророчество? «I was bored on the 9th of October 1940» («Мне было скучно 9 октября 1940 года»), — пишет Леннон в книге «Сам о себе», не упуская случая обыграть созвучие английских слов «рождаться» и «скучать». Джон родился в 6 часов 30 минут (если сложить эти числа по правилам нумерологии: 6 + 3 = 9). Брайан Эпстайн, впоследствии ставший менеджером группы, впервые увидел выступление Леннона и «Битлз» на сцене ливерпульского клуба «Каверн» 9 ноября 1961 года. Стараниями Эпстайна, первый контракт группы со студией E.M.I. был подписан в Лондоне 9 мая 1962 года. Джон Леннон познакомился с авангардной художницей и музыкантом Йоко Оно 9 ноября 1966 года. В Нью-Йорке они жили на Вест 72-ой улице (7 + 2 = 9) в «Дакоте», и номер их главной квартиры в доме был 72. Студентом Джон Леннон добирался до ливерпульского художественного колледжа автобусом № 72. Мать будущего музыканта погибла под колесами машины с номерным знаком LKF 630 (6 + 3 = 9). За рулем машины находился констебль № 126 (1 + 2 + 6 = 9). Penny Lane (9 букв) — район Ливерпуля, где прошло детство Леннона, принадлежит почтовому ведомству № 18 (1 + 8 = 9). Sgt Pepper (имя вымышленного героя одного из лучших альбомов «Битлз») состоит из 9 букв, впрочем, как и имена вполне реальных людей, так или иначе оказавших влияние на Джона, например: тетушка Мими (Mimi Smith — 9 букв), которая воспитывала Джона после смерти матери, Jim Gretty (9 букв), продавший юному Джону его первую гитару, Maharishi (9 букв) и другие. Первая группа, в которой играл Леннон, называлась «Quarry Men» (9 букв). Когда он стал встречаться со своей первой женой, Цинтией, она проживала по адресу Тринити Роуд, 18 (1 + 8 = 9). На обложке одной из сольных пластинок Леннона «Стены и мосты» — акварель, написанная Джоном в детстве. На ней изображен футболист с большой цифрой 9 на майке. Среди композиций Леннона — «Революция № 9», «Мечта № 9», а также «Тот, что после 909», причем, последняя была написана юным Ленноном, когда он жил в доме матери по адресу: Ньюкастл Роуд, 9 в Ливерпуле.

Леннон однажды заметил, что одна из самых главных его песен содержит 9 ключевых слов: «Все, что мы говорим: давайте попробуем жить в мире». Общий вес документов, собранных ФБР за годы наблюдения за

Ленноном, составляет 27 фунтов (2 + 7 = 9). В именах двух людей, Джон Оно Леннон и Йоко Оно Леннон, чьи судьбы, по убеждению Джона, были предопределены свыше, буква «о» повторяется 9 раз. Сын Леннона, Шон появился на свет 9 октября 1975 года.

Во время гастролей «Битлз» в Париже в 1964 году Леннон получил письмо, не на шутку его встревожившее: «Сегодня в 9 часов вечера я вас застрелю». К счастью, тогда покушения не произошло. Джон Леннон был убит в Нью-Йорке поздним вечером 8 декабря 1980 года. На родине Леннона, в Англии, было уже 9 декабря. Сердце Леннона перестало биться в 11:07 вечера (1 + 1 + 7 = 9) в больнице Рузвельта на 9-й Авеню в Манхэттене. Это были последние девятки в жизни выдающегося поэта рок-н-рола.

Мистика? Совпадения? Может быть, и так, но все же доля истины и что-то потустороннее во всем этом есть... В мире все случается не просто так.

Джордж Вашингтон: лечился только заговорами предков

Другой известный государственный деятель, первый президент Соединенных Штатов Америки Джордж Вашингтон (22 февраля 1732 — 14 декабря 1799 года) ни в какие проклятья не верил, но и в его биографии можно найти нечто мистическое. Так, известно, что у него с детства было слабое здоровье, он очень часто болел. У него был хронический насморк, он страдал мигренями, часто у него немели руки. Однако к лекарям и практикующим врачевателям он не обращался никогда, будучи убежденным, что помочь от любых недугов могут заговоры предков. Говорят, он знал тысячи «шепотков» от любой хвори и при необходимости оставался один в помещении и исцелял себя сам. Целительством других людей он не занимался и секреты своих заговоров унес с собой в могилу.

Евгений Евстигнеев: умер из-за проклятья Ивана Грозного

Роль царя Ивана Грозного — последняя роль в кино Евгения Александрович Евстигнеева (9 октября 1926 — 4 марта 1992). Через несколько дней после съемок известный артист прилетел в Лондон, где ему предстояла несложная операция на сердце, однако когда он находился на операционном столе, сердце остановилось. В театральных кругах тут же заговорили о проклятье Ивана Грозного. Якобы, в театрально-киношной среде существуют такие личности, играть которых нельзя ни в коем случае, и царь — из их числа.

Возможно, это всего лишь нелепое совпадение, ведь сам Евстигнеев в приметы не верил. Но мистика все же присутствовала в его жизни — он умел читать мысли.

Как-то с друзьями актер был в цирке на представлении, где чародей угадывал мысли случайных людей. «Подумаешь, — изрек Евгений Александрович, — я тоже так могу!». И тут же продемонстрировал чудо: попросил написать на бумажке любое трехзначное число, сложить ее трижды и спрятать между ладоней. Какие числа были написаны, он отгадывал практически безошибочно.

Про дар актера знали все коллеги и время от времени тестировали его способности за кулисами театра — просили в шутку что-нибудь очередное угадать. К сожалению, никаких иных применений для своего дара он так и не смог найти.

Евгений Леонов: отверженная любовница прибегла к черной магии

Для нескольких поколений Евгений Павлович Леонов (2 сентября 1926 — 29 января 1994) — любимый актер, который снялся в лучших фильмах советского периода и озвучил Винни-Пуха в легендарном детском мультфильме. Увы, как это часто бывает с настоящими звездами, актер очень страдал от своей популярности и, возможно, именно популярность привела его к преждевременной кончине.

Его популярность была такой, что достаточно было указать его имя в титрах — это обеспечивало популярность любой картине. Билеты на спектакли с его участием раскупали за полгода до премьеры. Вокруг него складывали легенды: говорили, например, что у него «легкая рука», достаточно ему было подержать в руках сценарий — проект ждал успех, а если он в прямом смысле пожимал руку молодому актеру, тот непременно становился знаменитым.

Как у любого любимца публики, у Леонова было немало поклонниц. Одна из них была особо настойчива — впервые дала о себе знать в конце 60-х годов. Она писала письма, признаваясь в любви и умоляла о встрече. Послания приходили и на адрес прописки артиста, и в театры, где он выступал, и в отдел писем центрального телевидения. Однако на контакт с поклонницей актер идти не желал.

Весной 1988 года Леонов получил очередное письмо от женщины, в котором она сообщала, что собирается праздновать свое 55-летие и очень хочет, чтобы он приехал поздравить ее лично. В противном случае она пообещала наслать на него проклятья. Конечно же, это не спугнуло Евгения Павловича, и он просто ее проигнорировал. Когда спустя месяц после даты юбилея актер получил очередное письмо с обратным адресом той дамы, даже посмеялся: «Что же она еще придумала?». Однако после вскрытия конверта ему стало не до смеха: в нем лежала фотография артиста, на которой были сделаны три прокола: в области глаз и сердца. А на обратной стороне написаны слова проклятья. Фотографию тут же уничтожили, а спустя несколько дней с Леоновым случилась трагедия. На гастролях в Германии ему стало плохо, а по дороге в больницу у него остановилось сердце. После экстренной операции артист впал в кому на 16 долгих дней. Жена артиста Ванда вспоминала: «Слава богу, что это случилось в Германии, в СССР его бы не спасли». Врачи говорили жене: «Зовите его сюда на землю, разговаривайте с ним. Услышит — вернется». Жена вместе с сыном Андреем сидела у ног Леонова, и они рассказывали, как сильно они его любят и как он нужен им на земле.

Чудо произошло, и актер вернулся с того света. Первое, что он поведал родным после комы, был рассказ о той самой ведьме. Он рассказал, что во время комы видел ее, разговаривал с ней и очень боится, что она вернется, чтобы его добить. С этим нужно было что-то делать и сразу после возвращения в Москву актера по его просьбе свозили к экстрасенсам, которые установили «защиту» (по крайней мере, так назвали проводимый ритуал).

Актер вернулся к нормальной жизни, играл в театре, снимался в фильмах, озвучивал мультфильмы. Ведьма его больше не беспокоила. Но его теперь интересовал мир непознанного. Он с большим интересом ездил к экстрасенсам, многие из которых были нечисты на руку и выманивали у него деньги за снятие порчи и проклятий, за ритуалы очищения и укрепления здоровья.

Как вспоминала супруга артиста, у всех эзотериков Леонов спрашивал собственную дату смерти — очень ему было интересно. И все поголовно утверждали, что жить он будет долго, говорили, доживет до 92-95 лет. Лишь один экстрасенс, услышав вопрос о смерти и взглянув на гадальные карты сквозь пламя свечи, расстроил артиста. «Как называется ваша последняя роль?» — спросил он. «Поминальная молитва, — ответил Леонов. — Только у нас, в актерской среде, не говорят «последняя», говорят — «крайняя»». — «А у вас она будет последняя, — продолжил экстрасенс. — До следующего дня рождения вы не доживете». Так и случилось. Евгений Леонов внезапно ушел из жизни — оторвался тромб.

Евгений Шварц: в церкви раскаялся за бурную молодость

Творчество писателя и драматурга Евгения Львовича Шварца (9 октября 1896 — 15 января 1958) запоминается, прежде всего, добротой, сквозящей в каждой строчке, в каждом абзаце. Каждый знает фильмы, снятые по его пьесам: «Обыкновенное чудо», «Золушка», «Сказка о потерянном времени», «Дон Кихот», спектакли «Тень», «Голый король», но в личной жизни Евгения кипели не сказочные страсти.

Его обожали женщины, он пользовался чрезвычайным успехом у представительниц прекрасного пола и, по некоторым данным, имел до сотни любовниц в год! О его интимных похождениях складывали легенды. Одна из них, гласившая, что в наследие от кого-то из предков-колдунов Шварцу достался дар очаровывать взглядом (достаточно посмотреть на любую даму, независимо от ее возраста и семейного положения как она тут же готова была прыгнуть в его объятия), неожиданно нашла свое подтверждение.

В какой-то момент Евгений Львович остепенился и решил жениться. Первой женой писателя стала миниатюрная красавица-армянка Гаянэ Халайджиева, актриса ростовского театра. Незадолго до церемонии очень традиционная семья Гаянэ потребовала, чтобы будущий родственник непременно вошел в лоно армянской, грегорианской церкви. Шварц, к религии абсолютно равнодушный, отправился в церковь, чтобы узнать, можно ли это сделать. Каково же было удивление писателя, когда священник не пустил его на порог храма! «У тебя бесовские глаза», — заявил он, и велел просить прощения у всех дам, жизнь которых он испортил, переспав с ними и исчезнув.

Шокированный Шварц долго думал над словами священника и впоследствии настолько проникся верой в

бога (который все видит, раз узнал о его любовных про-
хождениях), что походы на молитвы в церковь стали для
него ежедневными. Он часто путешествовал по церквям
в разных городах, любил общаться на разные темы со
священниками, ездил навещать старцев, и всегда при-
возил домой освященную воду из храмов — выпивать с
утра стакан такой воды для него стало традицией.

Что же касаемо первой супруги... Национальность
ему удалось сменить. Довольно долгое время в его па-
спорте значилось: «Шварц Евгений Львович, армянин».
Брак не был долгим — вскоре пара распалась, а писатель
второй раз женился на сестре своего друга Екатерине.
Но и этот брак длился не долго — Екатерина умерла.

В воспоминаниях людей, знавших писателя, можно
найти повествования о том, как тяжело это переживал
писатель. В ее смерти он винил себя, говоря, что ее
смерть является наказанием за его разгульную жизнь в
молодости. К таким выводам он, якобы, пришел после
разговоров с известным ленинградским священником
протоиереем Евгением Амбарцумовым, который стал
для него духовным отцом.

Екатерина II: императрица фантазировала о своей кончине

Тот день российская императрица Екатерина II Алексеевна Великая (21 апреля 1729 — 6 ноября 1796) начала по обыкновению: выпила кофе и отправилась в туалетную комнату. Однако задержалась там значительно дольше, нежели обычно. Когда дежурный камердинер осмелился заглянуть в комнату, чтобы удостовериться, что все нормально, он увидел, что Екатерина лежит на полу без сознания, лицо ее побагровело, из горла вырывались хрипы и выделялась темная мокрота. Это описание дает основания медикам поставить современный диагноз императрице — кровоизлияние в мозг, который в Новое время именовался апоплексическим ударом.

Печальная ирония заключалась в том, что в ходе своей жизни императрица в письмах не раз описывала, как она представляет свою смерть, фантазировала как будет украшен зал, какая музыка будет играть, кто из почетных гостей прибудет на похороны. «Вот бы мне перед смертью увидеть всех собравшихся, кто в чем придет посмотреть, разглядеть как залы украшают...» — писала она.

После кровоизлияния в мозг императрица лежала в кровати с открытыми глазами. Говорить и шевелиться она не могла, лишь наблюдала за всем происходящим. Видела, как великий князь Александр, внук Екатерины и будущий император, писал записку об ухудшении состоянии императрицы своему отцу, наследнику трона Павлу, находившемуся в своей резиденции в Гатчине. Видела, как готовятся похороны, как составляется список, кого нужно будет пригласить в случае смерти... К тому времени врачи, после использования всех доступных им средств по спасению пациентки, около 10 часов вечера констатировали, что началась агония. Она продолжалась около 12 часов и в присутствии членов семьи и высших сановников империи Екатерина II скончалась, не приходя в сознание, в 9 часов 45 минут утра.

Ермак: мечтал найти золотую бабу и править миром

Ермак Тимофеевич (дата рождения неизвестна — 6 августа 1585) — казачий атаман, исторический завоеватель Сибири для Российского государства. Есть мнения, что главной его целью в Сибири была... Золотая баба.

На одной из карт знаменитого средневекового картографа Меркатора на пустынной и безликой территории Сибири обозначен лишь один-единственный объект — Золотая баба. Это был уникальный объект, который, согласно теориям ученых, имел огромные размеры (как сейчас сказали бы — высоту с четырехэтажный дом). Скульптура в форме женщины (ее отождествляли с угро-финской богиней Юмалой) была вылита из золота и, якобы, подарена людям богами. Она защищает тех, кто ей поклоняется. Ну а тот, кто завладеет ей, не только получит богатства, которых хватить миллионам, но и власть — сможет править миром.

Возможно, именно в поисках этого идола Ермак и отправился покорять Сибирь. В Кунгурской летописи рассказывается о том, как 5 марта 1582 года легендарный атаман приказал отряду дружинников под командованием своего друга Ивана Брязги разыскать Золотую бабу. На реке Оби ниже устья Иртыша отряд взял штурмом городище Нимъян, где, по свидетельству лазутчиков, находился заветный идол. Однако, обыскав святилище, казаки поняли, что проворные жрецы уже успели унести его.

Ермак был в бешенстве. Говорили, что он убил нескольких своих помощников за плохую весть и лично отправился на поиски, подобно хорошему детективу изучив все места, куда можно было спрятать артефакт. Увы, правителем мира стать ему так и не удалось.

Зигмунд Фрейд:
боялся стать жертвой растений

В это сложно поверить, но легендарный австрийский психолог, психиатр и невролог, автор многочисленных книг, являющихся сегодня учебными пособиями по психологии, Зигмунд Фрейд (6 мая 1856 — 23 сентября 1939, Лондон) не смог победить собственные фобии. Достоверно известно, что он боялся... некоторых растений. Как писал сам Фрейд, в детстве ему приснилось, что кустарники окутывают его ветвями, сковывая тело, он не может вырваться, не может дышать и умирает... В будущем он опасался ходить в лес, не разводил дома комнатных цветов. Но настоящий ужас он испытывал от вида... папортника. «Есть в этом растении что-то, от чего веет смертью, мне страшно даже думать о нем», — делился страхами Фрейд.

Кстати, знаменитый сонник Фрейда, по которому многие из нас толкуют свои сновидения, Зигмунд составлял лично для себя — во многом для того, чтобы рано или поздно растолковать себе значение детского сна. Он просто записывал на бумаге, что значат его повторяющиеся сны. Эта работа изначально не предназначалась для общественности, потому как некоторые толкования носят частный характер и не подходят большинству людей. Так что к соннику Фрейда вряд ли можно относиться серьезно.

Иван Тургенев: практиковал приворотные зелья

Классик русской литературы Иван Сергеевич Тургенев (28 октября 1818 — 22 августа 1883) в своих произведениях сумел раскрыть проблемы общества и взаимоотношений разных поколений XIX века, которые актуальны и по сей день. Сам автор был весьма незаурядной и противоречивой личностью, с именем которой связаны тайны.

Например, известно, что в юности он был страстно влюблен в дочь известной княгини Шаховской — Екатерину. Она была старше классика на четыре года и кружила головы многим аристократам. Чтобы покорить красотку, писатель прибег... к любовной магии. В этом он сам ей признался много лет спустя. Чтобы заполучить даму сердца, он заплатил промышлявшей магией женщине, которая «пошушукала» что-то над приворотным зельем и наказала угостить и «возлюбленную». В результате, дама ответила ему взаимностью. Правда, роман не был долгим. Роковой поворот судьбы: от Тургенева-младшего красотка ушла к отцу писателя — Сергею Тургеневу.

Примечательный случай вышел с Тургеневым в 1836 году во время своего первого путешествия в Германию. На корабле произошел пожар. Как потом рассказывали очевидцы, когда спасательные шлюпки спустили на воду, Тургенев ринулся к ним, расталкивая по пути остальных пассажиров, в том числе женщин и детей. При этом он кричал, что ему непременно нужно спастись первым, потому что ему нагадали гибель на корабле. Так это или нет, мы этого никогда не узнаем. Но легенда распространилась, об этом случае узнали в кругу Тургенева, и его стали считать трусом. Позже классик описал это событие в новелле «Пожар на море».

Но самую большую загадку писатель оставил после своей смерти. Его отличительной чертой была большая голова. Настолько большой, что ученые после его смерти получили разрешение извлечь и взвесить его мозг. Он «потянул» аж на 2 килограмма, а это намного тяжелее, чем у многих других знаменитых людей. В наши дни многие уфологи всерьез рассматривают версию о том, что в теле Тургенева на самом деле жил инопланетянин, но доказательств этому, понятное дело, нет.

Еще одна анатомическая особенность классика — кость на темени у него была очень тонкая. Из-за этого даже при легком ударе по голове Тургенев терял сознание. Из-за этого в школе писателю пришлось вытерпеть немало издевательств от сверстников.

Игорь Тальков: верил в переселение душ и обещал вернуться

В жизни знаменитого рок-музыканта Игоря Владимировича Талькова (4 ноября 1956 — 6 октября 1991), трагически погибшего от выстрела из пистолета в своей гримерке, было много мистики. За свою жизнь он дважды переживал состояние клинической смерти и знал, что в третий раз не переживет ее. Еще в 1983 году, когда музыканты не хотели лететь самолетом, он сказал: «Не бойтесь со мной летать. В авиакатастрофе я никогда не погибну, меня убьют чуть позже, при большом стечении народа, и убийцу не найдут». Слова оказались пророческими.

В своих интервью Тальков говорил, что верит в переселение душ, рассказывал о том, что не раз пытался вычислить, кем он был в прошлой жизни и даже узнал, что когда-то был китайской женщиной при дворе одного богача. В будущем — после смерти — он обещал непременно вернуться. Из интервью Игоря журналу «Курский соловей»: «О предыдущей жизни я вряд ли смогу рассказать, потому что у человека отсекается память при рождении, и он не помнит ничего из предыдущей жизни. Но я уже не первый раз на этой земле. Будет и еще пришествие, причем, очень скоро. А значит это... Да, вы правильно подумали, для этого я должен буду умереть...».

Из интервью Талькова журналу «Смена», 1990-й год: «Одно время я серьезно занимался астрологией и сейчас продолжаю совершенствовать свои знания... Различные веды, провидцы, составители гороскопов утверждают, что наша планета выбилась из общего ритма жизни вселенной из-за того, что сюда проникла космическая черная сила, которая несет только разрушение. То, что называют Сатаной, Дьяволом, Люцифером, и есть черная сила. Белая сила тоже, конечно, существует и называется Богом или силой космического разума. Но она, так сказать, общая — на всю вселенную, и ей очень трудно пробиваться к Земле... Поэтому неизвестно, что нас ждет, но планету лихорадит... Мы слишком много думаем о технике и совсем забыли о душе. Черная сила моментально реагирует на любой душевный всплеск и старается его задушить... Я часто говорю и спорю об этом. Многие меня даже сумасшедшим считают. Но я уверен во всем, что говорю».

Еще при жизни о Талькове начали снимать документальный фильм. Автор сценария Михаил Гладков предложил артисту: «Давай ты в картине как бы умрешь и будешь разговаривать с того света». Идея пришлась Талькову по душе. «Я смогу сказать все, что думаю, — сказал он. — С человека, которого нет, взятки гладки». Когда Игоря убили, фильм «Сны Игоря Талькова» уже готовился к монтажу. Но теперь он обрел уже совершенно иной смысл...

26 августа 1991 года Тальков принимал участие в концерте у Белого дома в Москве после подавления путча ГКЧП. Вдруг к нему подошел какой-то человек и сказал, что видит у него на лице «маску смерти». Но артист только отмахнулся.

За день до убийства, 5 октября, Тальков давал сольный акустический концерт в техникуме в Гжели, и на его гитаре оборвалась струна. Это случилось около 16.00. В артистических кругах это считается очень плохой приметой, предвещающей беду. Ровно через сутки его убили.

Уже после смерти многие также обратили внимание на то, что вагон, на котором артист ехал в Питер, имел 13-й номер, и порядковый номер выступления Талькова в роковом концерте тоже был 13. Почему-то Игорь решил перед выступлением надеть черную рубашку, хотя ранее всегда (!) выступал в белой... Черную он впервые взял с собой на гастроли.

6 октября Тальков должен был выступать в сборном концерте звезд советской эстрады, организованном продюсерской компанией «ЛИС'С». Его выступление должно было состояться во дворце спорта «Юбилейный». Ему предстояло исполнять песню «Господин президент» с острым политическим подтекстом. Номер Талькова шел предпоследним, перед ним должна была выступать певица Азиза. Выступать последним считалось более престижно. Телохранитель и бойфренд Азизы Игорь Малахов потребовал от устроителей концерта поменять местами выступления Азизы и Талькова, мотивируя это тем, что певица не успевает подготовиться к выходу. Возник конфликт между Малаховым и директором Талькова Валерием Шляфманом, в который втянули и самого певца. Началась потасовка возле гримерки Игоря, в результате кто-то (следствие так и не установило убийцу, преступление не раскрыто) выстрелил в Талькова. «Как больно!» — произнес певец, прошел несколько шагов по направлению к сцене и упал. Вызвали врачей, но помочь уже ничем было нельзя.

Кстати, незадолго до своей гибели Игорь Тальков пишет стихотворение, которое принято считать пророческим. Оно описывает его смерть. «И со мной сегодня плачет дождь осенний, / Боль в душе, непрошеная грусть, / Он ушел внезапно наш поэт, наш гений, / Обещав однажды: "Я вернусь". / Завывает ветер, снег в лицо бросает / Холод сердце сковывает льдом, / Но поэт уходит, а не умирает, / И сегодня вспомним мы о нем... / Воронье слетелось, и не видно света. / Давит сердце гения свинцом, / И уходит Игорь, не допев куплета, / В небеса таинственным гонцом»...

Иероним Босх: нарисовал прибытие инопланетян в скафандрах

«С таким мастерством твоя правая рука раскрывает все, что содержится в таинственных недрах ада, что я верю, будто глубины и самые далекие области ада были тебе показаны», — писал в 1572 году Доминик Лампсоний, гуманист из Голландии, о творчестве нидерландского художника Еруна Антонисона ван Акена, известного под псевдонимом Иероним Босх (26 августа 1454 — 9 августа 1516)

Его дед, и отец, и два его дяди были художниками, и поэтому неудивительно, что он пошел по их стопам. Ему даже не надо было учиться живописи на стороне — семейная мастерская, в которой исполняли заказы на стенные росписи и изготовление церковной утвари, стала Акену замечательной школой. Незадолго до смерти отца семейная мастерская переходит к Босху, а удачная женитьба Иеронима на богатой наследнице обеспечила живописцу безбедное существование и возможность заниматься творчеством так, как ему хочется. Тут-то и началась самая настоящая чертовщина.

Из-за того, что Иероним Босх занимает видное положение в своем родном городе Хертогенбосе (Нидерланды), его творения (а занимался он в основном росписью храмов и изготовлением церковных триптихов) не подвергались критике. Церковная цензура пропустила даже такую фреску: толпа верующих тянет руки к небесам, с небес, окруженный зеленоватым светом, к ней спускается ослепительно-белый шар, а в центре шара изображение... святого? ангела? Ничего подобного!

Это — совершенно загадочная, мало похожая на человека (да и на святого тоже) фигура, полностью лишенная одежды. Многие современные исследователи считают, что живший в XV веке живописец изобразил на фреске... прибытие на Землю инопланетян в скафандрах!

Не менее загадочен триптих «Поклонение волхвов». Все художники, которые брались за этот сюжет, писали его «снизу» — с точки зрения молящегося. Лишь Босх позволил себе взглянуть на младенца Иисуса сверху — и это тоже сошло ему с рук.

В «церковных» произведениях Босха нечасто встречаются «классические» черти с рогами или ангелы с крыльями. Но везде присутствуют жуткие, абсолютно немыслимые лица, которые возможно повстречать только в аду, как думали его современники, или на других планетах, как полагают некоторые современные специалисты-уфологи.

Линда Харрис, исследовательница творчества Босха из Америки, заверяет, что многие видения Страшного суда на его полотнах с абсолютной точностью являются отображением эпизодов современных войн и катаклизмов.

С уверенностью нельзя сказать, как выглядел Босх, — дошедшие до нас портреты, на которых якобы изображен сам художник, вызывают у экспертов определенные сомнения. А после кончины живописца количество загадок, которые окружали его имя, лишь увеличилось.

Скончался Иероним Босх в родном Хертогенбосе и был торжественно похоронен в часовне церкви Святого Иоанна. Но когда в 1977 году могила была вскрыта, то... она оказалась пустой! Руководивший раскопками историк Ханс Гаальфе рассказал, что на могиле Босха лежал странный надгробный камень, не похожий на гранит или мрамор. Когда кусочек камня положили под микроскоп, то частица этого загадочного материала начала светиться, а температура его поверхности вдруг возросла на 3 градуса, а после исчезла — «как медуза, растаявшая на солнце» — написал исследователь.

Прослышав о таких странностях, Церковь немедленно запретила раскопки, и секрет смерти художника, как и мистика его произведений, навечно осталась для нас тайной.

Илья Репин:
художник, нарисовавший смерть

Картины великого русского художника Ильи Ефимовича Репина (24 июля 1844 — 29 сентября 1930) считают магическими и загадочными. Есть мнение, что художник было экстрасенсом и заряжал свои работы невиданной силой.

Его легендарную картину «Иван Грозный и сын его Иван» сопровождает дурная слава. Ее владелец, меценат Третьяков, вспоминал, чем закончилось ее выставление на публике: «Люди рыдали, впадали в ступор, валились на землю». Наконец, в один ужасный день молодой иконописец Абрам Балашов бросился на картину с ножом и изрезал холст. Вандала связали и доставили в психбольницу, но это не спасло хранителя галереи. Увидев случившееся, он впал в безумие, выбежал из галереи и бросился под поезд.

Полотно удалось реставрировать, но странные совпадения продолжились. После написания картины у самого художника Репина отсохла правая рука, а натурщиков, позировавших для картины, постигла страшная участь. Художник Мясоедов, с которого был написан образ царя, вскоре в гневе чуть не прикончил своего малолетнего сына, которого тоже звали Иваном. Трагедия постигла и натурщика, с которого художник писал образ убитого царевича. Писатель Всеволод Гаршин, позировавший для картины, сошел с ума и погиб в мучениях, выбросившись в лестничный пролет.

С течением времени дурные свойства картины исчезли. Но мистические особенности происходили и с другими работами Репина — например, с одним из самых известных его портретов «Портрет Мусоргского», который он написал незадолго до смерти композитора.

Вот что пишет по этому поводу Корней Чуковский: «В его портретах таится зловещая сила: почти всякий, кого он напишет, в ближайшие же дни умирает. Написал Мусоргского — Мусоргский тотчас же умер. Написал Писемского — Писемский умер. И чуть только он захотел написать для Третьякова портрет Тютчева, Тютчев в том же месяце заболел и вскоре скончался... Писал он Столыпина в министерстве внутренних дел и... едва только Репин закончил портрет, Столыпин уехал в Киев, где его сейчас же застрелили. Он, должно быть, художник, написавший смерть».

Монументальное полотно «Торжественное заседание Государственного совета» было заказано Репину правительством. И, судя по всему, опрометчиво. Дело не в качестве картины: с задачей Репин справился достойно. Художнику удалось разместить на огромном холсте 60 фигур, не уязвив при этом достоинства ни одного из персонажей и не оказав предпочтения никому, даже председательствующему императору Николаю II. Однако рок, сопровождающий картины художника, не отступил. Картина была завершена к концу 1903 года. А в 1905 году грянула первая русская революция, в ходе которой полетели головы изображенных на полотне чиновников. Одни лишились постов и званий, другие и вовсе поплатились жизнью: министр В. К. Плеве и великий князь Сергей Александрович, бывший генерал-губернатором Москвы, были убиты террористами. К счастью, погибли не все. Выжили те, кого рисовал не сам Репин. Известно, что в создании полотна Репину помогали его ученики: фигуры правой части, по репинским этюдам, писал Борис Кустодиев, левой — Иван Куликов. Чиновники, написанные учениками, спаслись от страшной участи.

Индира Ганди: смертельная плата за любовь

Индира Приядаршини Ганди (19 ноября 1917 — 31 октября 1984) — одна из самых ярких женщин-политиков XX века. Крепкая дружба между советским вождем Леонидом Брежневым и премьер-министром Индии Индирой Ганди стала притчей во языцех.

Всю жизнь Ганди и ее семью преследовал злой рок, и многие верят, что это не случайно. По законам индийской религии межкастовые браки караются кармическим проклятием. Считается, что все люди возникли из разных частей тела бога Брахмы: из головы получились духовные лидеры — жрецы (брахманы), из рук бога — воины (кшатрии), из тела — вайшьи, чьи занятия связаны с торговлей и бизнесом, купцы и банкиры, а из пыльных ног — шудры: ремесленники, крестьяне, слуги и прочий трудовой люд. Разумеется, стать «головой» намного приятнее, чем всю жизнь быть «ногой».

Индира — дочь Джавахарлала Неру, принадлежащего к высшей касте жрецов, знала об этом, когда выходила замуж за потомка бакалейных торговцев — Фероза Ганди. Тем не менее, свадьба состоялась, и вскоре проклятие свершилось. Она была убита людьми, которым доверяла свою жизнь — личными охранниками.

Иннокентий Смоктуновский: панически боялся порождения ада

Неизвестно, что Зигмунд Фрейд посоветовал бы для избавления от страха известному советскому и российскому актеру Иннокентию Михайловичу Смоктуновскому (28 марта 1925 — 3 августа 1994), но известно, что любимец публики панически боялся кошек... Этих милых созданий Смоктуновский называл «порождением ада». Причем, у него не было на них аллергии, и причин своего страха он не знал.

«Некоторые боятся пауков или змей, а я — кошек, — признался он в одном из своих интервью. — Даже их статуэтки и фотографии вызывают у меня чувство опасности, у меня сердце в пятки уходит».

Знавшие актера говорят, что кошки странным образом словно чувствовали такое отношение к своему роду и, напротив, старались окружить его своим вниманием. Их к нему словно тянуло. На гастролях эти животные пробирались в автобус и садились на кресло рядом с ним, спали возле его гримерной в театре, иногда забирались на подоконник его квартиры и следили. Однажды актер вызвал такси, чтобы поехать на вокзал. Вышел на улицу и ужаснулся — на капоте автомобиля сидели четыре кошки! «Смотрите, какое чудо, — удивлялся водитель. — Пока я стоял, запрыгнули и стали вместе со мной вас ждать...».

Кошек наблюдали после похорон актера. Есть свидетельства, что в течение нескольких дней после его захоронения на Новодевичьем кладбище в Москве на могиле сидели все кладбищенские кошки...

Иосиф Сталин: скрыл дату своего рождения от астрологов

Загадки начинаются с самого его появления на свет. Во-первых, никому не известна подлинная дата рождения Иосифа Виссарионович Джугашвили (по официальной версии — 6 декабря 1878 — 9 декабря 1879). Она скрыта исключительно в магических целях. Во-вторых, не решен вопрос, кто его отец — историкам известны как минимум 8 версий.

Молодой Иосиф заканчивает Горийское духовное училище и как единственный (!) отличник поступает на казенный счет в Тифлисскую духовную семинарию. В своей предсмертной пьесе «Батум» М. А. Булгаков упоминает, что именно семинаристом Иосиф встречался с цыганкой-провидицей, которая предсказала ему великое будущее. Она же посоветовала утаить истинную дату рождения. Это древний секрет того, как запутать недругов, если они вознамерятся угадать судьбу и тайны личности посредством астрологии. Кроме того, цыганка открыла, какие опасности могут быть для Иосифа смертельными, а какие нет.

Так, в 1916 году он спасает ребенка, отсасывая у него дифтеритную пленку. Данная операция считалась тогда смертельно опасной. Сталин же не берегся и не заразился. Знал, что не умрет. Во время Великой Отечественной он лично присутствовал на одном из первых испытаний знаменитой «Катюши», когда вдруг полигон атаковали немецкие бомбардировщики... Генералы и члены ЦК попадали в грязь, и только Сталин остался на ногах. Вокруг громыхали взрывы, но он даже не присел, как его ни умоляли. Знал, что осколки минуют его.

Окончить семинарию Сталину не удается. Его отчисляют за совершенно неуемный, буйный нрав и увлечение марксизмом. Несостоявшийся священник, он устраивается работать в Тифлисскую геофизическую обсерваторию и дружит с бывшим однокашником по училищу Георгием Гурджиевым, знаменитым тогда магом и оккультистом. Написанные в ту пору стихи — а Сталин был еще и поэт! — изобилуют эзотерикой и алхимическими изысками.

Далее для него наступает период ссылок и побегов из них. Перед первой ссылкой в 1903 году тюремный доктор прощается с ним, обещая, что слабые от природы легкие Сталина не выдержат сибирских холодов. Попав в Новую Уду, Иосиф сходится с шаманом Кит-Кая, хотя дружба длится недолго — ее прерывает побег. Четыре дня Сталин идет по зверскому морозу, а затем проваливается под лед, выбирается и, обледеневший, наконец, находит деревню, где отсыпается в течение суток. После этого он до самой старости будет заядлым курильщиком, и легкие ни разу не потревожат его.

Лишь из одной Туруханской ссылки Сталин не спешит убегать. Месяцами он скитается в предгорьях Путорана, где, согласно легендам, существуют подземные хранилища древнейшего народа бореалов. На развалинах капища богини Лады в районе Сольвычегодска известный в тех местах волхв-хранитель Белов, как выяснилось, проводит над Сталиным ведический обряд посвящения.

Там же будущий вождь народов пытается найти легендарную Золотую бабу, идола, дарующего богатство и власть, но... безрезультатно.

В наибольшей мере Сталин проявляет себя практикующим мистиком, когда становится генеральным секретарем ЦК ВКП. Начать хотя бы с малого. Существует, например, лишь один фотопортрет, на котором запечатлен именно он. Задумчивый, опустив глаза, прикуривает трубку. Согласно колдовским правилам, только так человеку возможно избежать метафизического покушения: не показывать глаз и находиться в защитном ореоле огня и дыма. Все остальные фото— и живописные портреты вождя сработаны с двойников...

С 1921-го по 1929-й год под пристальным вниманием Сталина при Институте изучения мозга работает профессиональный исследователь оккультизма А. В. Барченко. Помимо этого он ведет лекции для чекистов и совершает экспедиции в сакральные зоны Евразии. На Кольском полуострове Барченко совместно с саамскими шаманами разыскивает легендарную Гиперборею и вблизи Сейдозера находит ни что иное, как пирамиды. На Алтае и в Крыму он документирует неоднократные случаи НЛО. Однако перед отбытием в Тибет на поиски Шамбалы кто-то из членов предстоящей экспедиции продает все секретные планы немецкой разведке. И Барченко получает в затылок пулю...

Далее внимание Сталина переключается на жительницу Ленинграда Наталью Львову. Ведьма в нескольких поколениях, обладательница старинных колдовских атрибутов, таких, как кубок из загадочного красного сплава и демонический нож атамэ, она умела лечить и отслеживать влияние на человека черных магов. Ее подруга, поэтесса Анна Ахматова, рассказывала, что была очевидицей жуткой операции: Наталья зубами выгрызла у грудного младенца грыжу, после чего младенец выздоровел. Как раз Львова и научила Сталина заменять себя на портретах двойниками. В знак высочайшего почета Сталин своим личным распоряжением предоставил ведьме великолепную квартиру в самом центре Москвы.

Ну и нельзя не сказать о вернейшем спутнике Сталина — гениальном Вольфе Мессинге. Экстрасенсорные и телепатические способности этого человека не подлежат сомнению. Адольф Гитлер подписал указ, в котором объявил Мессинга своим личным врагом и назначил за его голову несусветную по тем временам сумму — 200 тысяч марок. Сталин же одаривал экстрасенса просто-таки королевскими почестями и щедротами. А тот, заменив, в свою очередь, умершую Львову, наблюдал психофизическое состояние генсека на опасность вторжения извне колдовских сил.

Не исключено, что и сам Сталин обладал необычайной магической силой и умениями. Так, в книге «Роза Мира» Даниил Андреев рассказывает о том, что вождь позволял себе лечь спать лишь под утро, преследую целью добиться хохха — состояния транса, которое позволяет видеть астральный мир во всех своих многоуровневых ипостасях.

Также кажется необъяснимым воздействие Сталина на окружающих своим неказистым внешним видом: 166 сантиметров роста и рябое лицо. Однако даже на внешнеполитических соперников он мог без слов нагонять мистический ужас. Гордый Черчилль заранее давал себе зарок не вставать при появлении Сталина, но опоминался, когда уже стоял по стойке смирно. А бедняга Рузвельт безуспешно сотрясал инвалидную коляску, пытаясь вскочить на свои парализованные ноги...

К сожалению, Кремлевские протоколы не вели записи обо всех мистических событиях в жизни Иосифа Виссарионовича. Или, быть может, их умышленно уничтожили?

Караваджо:
общался со смертью и заигрывал с ней

Микеланджело Меризи да Караваджо (29 сентября 1571 — 18 июля 1610) — итальянский художник, имя которого окружено легендами и тайнами. Достаточно сказать, что при создании одного из самых легендарных своих полотен — «Воскрешение Лазаря» художник приказал принести в отведенное под мастерскую просторное помещение при госпитале братства крестоносцев выкопанное из могилы тело недавно убитого молодого человека и раздеть его, чтобы добиться большей достоверности при написании Лазаря. Это было сделано, но двое нанятых натурщиков наотрез отказались позировать с уже разлагающимся трупом. Тогда художнику пришлось выхватить кинжал и заставить их силой подчиниться своей воле.

«Смерти Караваджо никогда не боялся, напротив, заигрывал с ней, часто признаваясь, что неоднократно общался со «старушкой с косой» и подружился с ней», — писал исследователь его творчества, литератор Сузинно.

Одной из особенностей Микеланджело как художника было то, что он писал картины с божественными мотивами с бродяг и пьянчужек с улицы. Это дало основание эзотерикам в будущем заявлять, что художник был чуть ли не самим Сатаной в человеческом обличии. Якобы, рисуя их лица, он забирал их души. По удивительному стечению обстоятельств, все бездомные, попавшие на полотна, умирали сразу по завершению картин. А то, что «низы общества» с подачи художника представлялись в образе святых — что это, если не ирония и насмешка над верой в бога?..

Константин Станиславский:
создал свод актерских суеверий

Знаменитый актер, режиссер и реформатор театра Константин Сергеевич Станиславский (5 января 1863 — 7 августа 1938) искренне верил в актерские приметы и даже сформулировал основные из них, которые и по сей день актуальны в театральных кругах. Станиславский уверял, что все приметы многократно им проверены лично — на себе и на своих коллегах.

Так, он утверждал, что в театре запрещено грызть семечки за кулисами или свистеть — причем это касается не только актеров, но и обслуживающий персонал, всех, кто находится в пространстве закулисья. Дурным предзнаменованием считается, если в деревянную щель на сцене попадет каблук. Если это произойдет на репетиции — будущий спектакль лучше вообще отменить, чтобы не было провала или несчастного случая.

Не к добру ронять пьесы. Если бумага с написанным текстом упала на пол, нужно поднять ее и либо посидеть на ней, положив ее на стул, либо приложить к лысине любого мужчины без волос.

В театре не должно быть гримерок под номером 13 — от этого числа можно ожидать самые разные неприятности. Заходить в гримерную комнату нужно обязательно с левой ноги, и никак иначе. В противном случае роли удаваться не будут. Не допускается в гримерке вешать на дверь различные картинки. Считается, что они приносят только неприятности, а вот удачу отнимают. Очень плохой приметой считается, если в гримерке актера будет рассыпан грим. Это к несчастью. И ни в коем случае нельзя, чтобы кто-либо заглядывал в зеркало актера через его плечо, особенно, если в этот момент он гримируется. Верная примета — тот, кто так сделает, заберет у вас не только актерскую удачу, но и здоровье.

Константин Циолковский:
первым из ученых вступил в контакт с НЛО

А знаете ли вы, что практически ни одну из книг, изданных при жизни легендарного ученого-самоучки Константина Эдуардовича Циолковского (5 сентября 1857 — 19 сентября 1935) вы не найдете ни в одной библиотеке страны? Все его труды надежно спрятаны от читателей в недрах спецхрана, а чтобы с ними ознакомиться, необходим специальный допуск? Отчего же такая мистическая таинственность?

По широко распространенной версии уфологов, Константин Эдуардович был одним из первых «контактеров», то есть человеком, вступавшим в контакт с представителями инопланетных цивилизаций, а подробные описания встреч с НЛО и послужили поводом для засекречивания его книг. Может, это было правдой? Может, на самом деле инопланетяне поделились с ученым своими секретами? Ведь непостижимой и удивительной является всего лишь одна вещь: в течение всей жизни с упорством фанатика разрабатывал идею космических полетов, когда у человечества не существовало ни малейшей в этом потребности. Конечно, можно махнуть рукой на все эти странности и повторить фразу, которая легко все объясняет: «на то они и гении, чтобы идти впереди своих современников». Но слишком уж много мистических случаев было в его жизни.

К примеру, в Боровске, в 1889 году, с ученым и произошел первый удивительный случай. В своей неопубликованной рукописи (архив Российской Академии наук) Циолковский делает удивительное признание: «Я видел в своей жизни судьбу, руководство высших сил. С чисто материальным взглядом на вещи мешалось что-то таинственное, вера в какое-то непостижимое, связанное с Христом и Первопричиной... Я жаждал этого таинственного. Мне казалось, что оно может меня удержать от отчаяния и дать энергию. Я тайно пожелал в доказательство воочию увидеть Бога в виде простой фигуры, креста или человека... Вдруг вижу, в южной стороне не очень высоко над горизонтом облако в виде правильного четырехконечного креста. Форма его была так идеальна, что я удивился и громко позвал жену посмотреть на эдакую странность». А спустя мгновение облако изменило форму, превратившись из креста в человеческую фигуру!

Циолковский вспоминает, как, подчиняясь чьей-то воле, встал и пошел в сторону странного облака. Пройдя какое-то расстояние, заметил, что небесная фигура тоже движется ему навстречу. И в этот момент он, почти глухой с детства, вдруг отчетливо услышал малиновый перезвон! Это событие оказало громадное влияние на всю последующую жизнь ученого: он всегда помнил, что в мире есть что-то неразгаданное. «Я твердил себе, — писал он, — что еще не все потеряно, есть Что-то (кто-то?), могущее поддержать меня и спасти».

В конце 20-х годов XX века, когда к ученому пришла всероссийская известность, он впервые публично заявил о существовании инопланетян, в чем убеждал всех своих учеников и последователей. Константин Эдуардович не сомневался, что в космосе обитают разумные силы, неизмеримо более развитые, чем человечество. Вся история человечества, утверждал он, несет на себе следы вмешательства пришельцев. И человечество обязательно войдет в контакт с этими силами, осваивая другие планеты. А в далеком будущем само станет одной из этих сил Единого космического сообщества. К тому времени, полагал Циолковский, человек изменится настолько, что станет «небывалым разумным животным» — лучистым существом, которое будет жить вечно, не нуждаясь в пище. Это существо будет питаться только солнечными лучами, не изменяться в массе, но продолжать мыслить и жить как смертное или бессмертное существо. Оно сможет обитать в пустоте, даже без силы тяжести, лишь бы была лучистая энергия.

Со дня первого необычного видения прошло 40 лет. И вот в 1928 году Циолковский вновь стал свидетелем удивительных явлений, произошедших на этот раз в Калуге. Около восьми вечера он вышел на балкон полюбоваться закатом. И вдруг почти у самого горизонта ученый увидел расположенные рядом три буквы: rAy. Он понял, что эти фантастические буквы составлены из облаков и находятся от него километрах в 50, потому что висят почти над горизонтом. Циолковского поразила правильность очертаний букв, но еще больше волновал вопрос: что они означают? И тут почти сразу же ему пришло в голову прочитать это слово как русское, написанное латинскими буквами. Получилось — Рай! Ученый пригляделся: под этим словом облака сложились в нечто, напоминающее плиту или гробницу. И Циолковский сказал себе: «После смерти — конец всем нашим мукам». Так должно произойти, писал он в своих работах «Монизм Вселенной» и «Воля Вселенной. Неизвестные разумные силы».

От кого пришло увиденное им послание? Что оно означало? На этот и многие другие вопросы ни Циолковский в своей работе, ни мы сегодня не в состоянии дать никакого ответа. Разве что остается вспомнить знаменитое шекспировское: «Есть много странного на свете, друг Гораций...».

Корней Чуковский: отдал дань римской монете на счастье

Корней Иванович Чуковский (19 марта 1882 — 28 октября 1969) подарил нам «Муху-Цокотуху», «Мойдодыра», «Доктора Айболита» и еще с десяток гениальных детских произведений, на которых выросло не одно поколение.

В очередной раз перечитывая «Муху-Цокотуху» уже своим детям или просматривая одноименный мультфильм (спектакль), мы даже не задумываемся, что фразой «Муха по полю пошла, / Муха денежку нашла» автор отдает дань денежке — монетке, которая приносит ему удачу.

Об этом сам поэт и публицист однажды признался своему другу, журналисту Владимиру Жаботинскому. Он поведал ему удивительную историю: как-то прогуливаясь по набережной Невы, Чуковский увидел, что под ногами что-то блестит. Остановился, наклонился и... стал обладателем монетки с непонятным портретом, выбитым на ней. Позднее он показал ее оценщику и узнал, что это римская монетка, которую можно продать коллекционерам, выручив немало денег. Но продавать ее Корней Иванович не стал, потому как заметил, что она приносит ему удачу. Когда монета лежала в кармане, и стихи писались лучше, и встречи с редакторами проходили удачно, и деньги всегда водились, и в любви везло. Именно тогда Чуковский решил, что монета — его талисман, и не расставался с ней никогда в жизни.

Курт Кобейн: преследуемый загадочным мертвецом

Автор песен, музыкант и художник, более известный как вокалист и гитарист северо-американской рок-группы «Nirvana», исполнявшей альтернативный рок, Курт Дональд Кобейн (20 февраля 1967 — 5 апреля 1994), в 1990 году не на шутку удивил своих поклонников, рассказав, что уже несколько лет его преследует загадочный мертвец...

Дело все в том, что еще по молодости, когда будущий артист делал первые шаги в шоу-бизнесе, но уже был весьма амбициозен, на улице неподалеку от своего дома однажды вечером он встретил бродягу. «Небольшой, грязный, от него разило алкоголем», — описывал его Курт. Старик попросил у молодого человека немного денег, а, получив отказ, взмолился, чтобы тот вызвал врачей или сообщил о нем в полицию, потому что сил идти у него не было. Но Кобейн лишь оттолкнул ногой старика и пошел домой.

Утром же, спеша по своим делам, он увидел на том месте все того же старика — но уже мертвого. Вокруг его тела была натянута полицейская лента, и дежуривший инспектор ждал, когда подъедет катафалк. Этот бродяга не выходил из головы у Курта ни в тот день, не позднее. Уже через годы супруга артиста Кортни Лав рассказала в телеинтервью, как ее муж просыпался в холодном поту и рассказывал, что ему снится тот старик, который протягивает свои руки. Музыканту стало казаться, что с тем бродягой связаны все его неудачи, но психолог, к которому он сходил, смог убедить его, что этот случай тут ни при чем.

По слухам, в последние дни своей жизни музыкант стал заядлым наркоманом. Приняв очередную дозу наркотика, он, якобы, вводил себя в состояние транса, в котором ему удалось увидеть того самого бродягу и попросить у него прощения. Лишь тогда кошмары прекратились. А вместе с ними — закончилась и жизнь: погиб музыкант от выстрела в голову. По официальной версии это было самоубийство, однако многочисленные факты говорят, что выстрелить себе в голову так, как об этом говорят полицейские протоколы, попросту невозможно.

Лаврентий Берия: пытался обучиться практикам гипноза

Генеральный комиссар госбезопасности СССР, маршал Советского Союза Лаврентий Павлович Берия (17 марта 1899 — 23 декабря 1953) — человек, о котором до нынешнего времени создаются и разрушаются легенды. Без сомнения, он был неординарной личностью: поразительным образом в этом человеке сочетались жестокость, страсть, тщеславие, нежность и ум.

Есть теория, что имя человека влияет на его судьбу. В случае с Лаврентием Берия это предположение могло бы быть совпадением, но... Имя «Вегеа» в переводе с древнееврейского означает «сын несчастия»; согласно историческим данным, такое название носил сирийский город, расположенный между Антиохией и Иерополем.

«Он не верил в Бога, — вспоминала «последняя любовь» Берии Нина Алексеева. — Креста не носил. Зато верил в экстрасенсов. Восхищался известным тогда гипнотизером Вольфом Мессингом, с которым он был хорошо знаком. Рассказывал какую-то историю: как гипнотизер на потеху наркому за несколько минут усыпил всю охрану».

Сам Берия неоднократно общался с разными гипнотизерами в надежде овладеть их техникой. Он был убежден, что для гипноза не нужно иметь дара, нужны знания и практика. Правда, о практике Лаврентия Павловича в данном вопросе потомкам ничего неизвестно.

В наши дни ходят слухи, что в Москве есть место, где любопытствующие могут посмотреть на... призрак машины Лаврентия Берия. Якобы ночью, со стороны Садового кольца к дому, где раньше жил Берия, приближаются звук едущей машины и маленькая светящаяся точка. При этом звуковой эффект — абсолютно повторяющий звук двигателя лимузина первой половины XX века. У дома, где когда-то жил Берия, а ныне располагается посольство

Туниса, автомобиль-призрак останавливается, слышно, как из него выходит человек и о чем-то разговаривает с невидимым охранником, потом автомобиль уезжает, чтобы вернуться сюда на следующую ночь.

Лев Толстой: открыл в себе талант благодаря покойнице

Не многим известно, что один из наиболее широко известных русских писателей и мыслителей, почитаемый как один из величайших писателей мира, Лев Николаевич Толстой (28 августа 1828 — 7 ноября 1910) стал писателем исключительно благодаря мистическому случаю, произошедшему, когда юному Льву только-только исполнилось 19 лет.

В юности будущий писатель собирался стать юристом и даже поступил на юрфак Императорского Казанского университета. Однако вскоре после начала учебы тяжело заболел и слег в госпиталь. Однажды поздно ночью он проснулся от того, что почувствовал чье-то дыхание. Над его кроватью, склонившись так, что почти касалась его лица своим, стояла старушка в засаленном платке. Толстой запомнил ее внешность: дряхлая, с посиневшими губами, над которыми были заметны усики. «Очнулся? Живой? — спросила старуха. — Я уж думала помер, ну спи... — она положила руку ему на лоб и продолжила. — А то рано тебе помирать. Другая у тебя судьба, судьба тебе стать великим писателем».

Лев заснул, а проснувшись утром, решил разыскать ту бабульку. Поинтересовался у врачей, описал внешность ночной гостьи и выяснил, что она скончалась. За неделю до того, как в больницу поступил Толстой. И лежал он аккурат на той койке, где умерла пациентка. Все это шокировало юношу, и он впервые задумался о своем будущем. Взял бумагу, перо и начала вести дневник, подражая Бенджамину Франклину, работы которого читал когда-то. С этого момента началась карьера Льва Толстого, как писателя.

Леонид Брежнев: живой талисман в охране главы государства

Известно, что признанный историками лучшим главой государства в России (СССР) в XX век Леонид Ильич Брежнев (6 декабря 1906 — 10 ноября 1982) был убежденным материалистом и весьма скептически относился к рассказам о восточных магах, которые якобы творят настоящие чудеса. В январе 1969 года, когда Брежнев находился с официальным визитом в Индии, на одном из приемов во дворце Индиры Ганди советский посол Николай Пегов показал Леониду Ильичу на маленького человека неопределенного возраста: «Это — далай-лама, первосвященник ламаистской церкви в Тибете. Он находится в изгнании, и Индира Ганди приютила его. Этот человек пользуется огромным авторитетом во всей Юго-Восточной Азии. Он обладает магическими способностями и не раз доказывал это. Например, вводит в гипнотический транс людей, страдающих сердечными заболеваниями, астмой, язвой желудка, и всего за два сеанса навсегда вылечивает их от этих недугов. Даже нашим кремлевским врачам такое не под силу».

Но Брежнева это не впечатлило. Тогда Пегов стал перечислять другие чудеса, на которые способен далай-лама: читать текст с закрытыми глазами, без рентгена и анализов определить все болезни человека, взглядом передвигать лежащие на столе мелкие предметы и даже левитировать, то есть отрываться от земли и несколько секунд парить в воздухе.

Магические трюки, которые не укладываются в рамки науки, оставили Леонида Ильича равнодушным. А вот мгновенная диагностика заинтересовала, и он попросил посла представить его тибетскому кудеснику. Что и было немедленно сделано. Когда руки генерального секретаря и далай-ламы сомкнулись в рукопожатии, первосвященник довольно долго не выпускал ладонь Леонида Ильича. А затем, глядя ему в глаза, сообщил через переводчика, что высокий советский гость тринадцать лет назад перенес инфаркт, да и сейчас у него не все в порядке с сердцем. Ему следует обратить внимание на этот орган, поскольку в будущем он может причинить неприятности.

Поставленный диагноз оказался настолько точным, что пораженный Брежнев сказал послу Пегову: «Не представляю, как он узнал, но в 1956 году, будучи первым секретарем ЦК компартии Казахстана, я действительно перенес инфаркт! С тех пор прошло ровно тринадцать лет. Да и сейчас сердечко порой дает о себе знать. Без врачей чувствую, как его прихватывает. Интересно, что еще может сказать этот ясновидящий...».

Когда просьбу Брежнева перевели далай-ламе, тот, по-прежнему глядя в глаза генсека, продолжил: «Судя по рисунку линий на ладони высокого гостя, в ближайшем будущем его подстерегают смертельные опасности...»

Затем далай-лама сделал знак переводчику, чтобы он наклонился, и что-то прошептал ему на ухо. После чего переводчик принял торжественную позу и с пафосом произнес: «Его святейшество спрашивает, не соблаговолите ли вы принять от него в подарок некое существо, которое наделено даром предвидения. Благодаря этому в будущем оно сможет уберечь вас от смертельного риска, когда он будет вам угрожать».

Подарком далай-ламы оказалась большая клетка с огромным черным котом внутри, больше похожим на пантеру. То, что происходило дальше, походило на какой-то магический обряд, в котором принимал участие ни кто иной, как Генеральный секретарь Коммунистической партии Советского Союза. Сначала далай-лама произнес какие-то слова, похожие на заклинание, затем поднес к клетке ладонь Леонида Ильича. Пушистый подарок принялся тщательно обнюхивать ее, то и дело поднимая свои огромные желтые глазища то на далайламу, то на генсека, словно хотел убедиться в том, что правильно понял приказ первосвященника.

Когда знакомство с ладонью Брежнева было закончено, кот издал короткий рык и, подойдя к дверце, стал энергично царапать ее. Клетку открыли, после чего кот тут же уселся у ног Брежнева, признав в нем своего нового хозяина. В этот момент посол Пегов, опасаясь, как бы зверюга не поцарапал генерального секретаря, попытался подойти к нему. Но кот обернулся в его сторону и угрожающе зашипел. Посол поспешно отступил.

По словам далай-ламы, кот приступил к выполнению своих обязанностей, а именно — охране своего нового хозяина. Напутствие было таким: если кот подойдет к нему, станет тереться о ноги, а тем более вцепится в штанину, это значит, что он предупреждает хозяина о грядущей смертельной опасности. А если кот погибнет, то и хозяину останется жить недолго. Кота было рекомендовано держать не только дома, но и брать с собой повсюду в любые поездки — охранный талисман действует лишь тогда, когда находится в зоне досягаемости.

Кота назвали Ламой. Впервые свой удивительный дар кот продемонстрировал меньше чем через месяц после того, как приступил к охране генсека. Все утро 22 января 1969-го Лама ни на шаг не отходил от Леонида Ильича, терся о его ноги и время от времени жалобно мяукал хриплым басом. В тот день должна была состояться торжественная встреча космонавтов Шаталова, Хрунова, Елисеева и Волынова. Перед отъездом Брежнева в Кремль кот стал буйствовать, хватать зубами его штанину, да так настойчиво, что его пришлось посадить на цепь. Всю дорогу от аэропорта Внуково-2 до Кремля Леонид Ильич недоумевал: что могло вывести из себя всегда спокойного Ламу? И, в конце концов, вспомнил предупреждение далай-ламы. На всякий случай, не объясняя истинной причины, Брежнев сказал сопровождавшим его Косыгину и Подгорному: «Что это мы, товарищи, рвемся вперед? Кого встречают люди, нас или космонавтов? А ну-ка, Николай, — обратился он к водителю, — немедленно перестройся и встань в конец колонны!».

Когда кавалькада «чаек» въехала в Кремль через Боровицкие ворота, из шеренги оцепления навстречу второй машине бросился человек в милицейской форме и с двух рук открыл огонь на поражение по едущей в главе колонны «чайке». Террорист сделал 14 выстрелов, убив водителя и легко ранив космонавтов Берегового и Николаева.

Второй случай, когда кот-охранник спас жизнь своему хозяину, произошел 20 февраля 1970 года. Утром Лама ворвался в спальню генсека и, как и год назад, стал тереться о его ноги, жалобно мяукая. А когда немного позже Брежнев собрался выйти из дома, начал хватать зубами за манжеты брюк. Спустя полчаса Брежневу доложили по радиотелефону, что на трассу, по которой ехал генсековский ЗИЛ, сбоку вылетела военная грузовая машина. Водитель из правительственного гаража ушел от столкновения, но машину развернуло, и она врезалась бортом в стоявший на обочине трейлер. Охраннику, который сидел на месте Брежнева, снесло полголовы.

В начале 1971 года Брежнев получил приглашение президента Жоржа Помпиду посетить Францию с официальным визитом. В это время не добитые прежним французским президентом, генералом де Голлем, члены террористической организации ОАС, перешедшие на нелегальное положение, задумали напомнить о себе двойным покушением на Помпиду и Брежнева.

В день вылета генсека кот-провидец вел себя спокойно до тех пор, пока Леонид Ильич не пошел садиться в машину, которая должна была доставить его в аэропорт. И тут Лама словно взбесился. Как и раньше, он зубами хватал Брежнева за манжеты штанин, отчаянно мяукал, а потом вдруг затихал и неотрывно смотрел на хозяина своими огромными желтыми глазами, словно хотел сказать ему что-то очень важное. К тому же он не позволил надеть на себя ошейник, к которому привык, выезжая с Брежневым в заграничные поездки. Забеспокоившись, Брежнев позвонил председателю КГБ Юрию Андропову и, ничего не объясняя, спросил, нет ли каких-либо новых тревожных данных по Франции. Андропов немного поколебался, а потом сказал, что получасом раньше получил от внешней разведки донесение о готовящемся покушении на Помпиду и на него, Генерального секретаря ЦК КПСС. К этому времени Брежнев уже настолько верил своему коту-провидцу, что, не раздумывая, принял решение отложить визит.

Весной 1982-го, отправляясь в Ташкент на празднества, посвященные вручению ордена Ленина Узбекской ССР, Брежнев, как всегда, взял с собой и Ламу. С утра 23 марта генсек должен был посетить несколько объектов, в том числе авиационный завод. Но потом решили туда не ехать, потому что программа получалась слишком насыщенной, и охрану на заводе сняли. Однако с намеченными визитами управились быстро, времени до обеда еще оставалось много, и Брежнев предложил первому секретарю ЦК компартии Узбекистана Рашидову все же заехать на завод. Начальник охраны генсека генерал Рябченко возразил: «Делать этого нельзя, чтобы вернуть охрану, нужно время. Да и потом, из резиденции доложили, что ваш питомец Лама просто с ума сошел. Беснуется, покусал уже всю охрану». Но Брежнев не послушал генерала. На заводе, выйдя из машины, Брежнев с Рашидовым и телохранителями двинулись к сборочному цеху. Когда они проходили под крылом почти готового самолета, собравшийся на лесах народ стал перемещаться вслед за ними. Внезапно раздался жуткий скрежет. Окружавшие самолет стропила не выдержали тяжести толпы, и огромная деревянная площадка рухнула, накрыв Брежнева и Рашидова!

Лишь чудом площадка никого не раздавила насмерть. Леонид Ильич лежал на спине, рядом с ним Рашидов с разбитой головой. Охранник Рябченко интуитивно взглянул на часы, чтобы зафиксировать время происшествия: было 13 часов 23 минуты. Ехать в больницу Брежнев отказался, и его повезли в резиденцию. Там его ждала печальная новость. Ровно в 13 часов 23 минуты кот-провидец, перекусив зубами поводок и до крови искусав пытавшихся удержать его охранников, выбежал на улицу и бросился под колеса проезжавшей машины.

После случившегося здоровье Леонида Ильича резко ухудшилось. Через восемь месяцев Брежнев скончался.

Людмила Гурченко: призрак актрисы напоминает о себе

Однажды на гастролях в городе Санкт-Петербурге с актрисой Людмилой Марковной Гурченко (12 ноября 1935 — 30 марта 2011) случилось то, что перепугало ее не на шутку. Звезду организаторы гастролей разместили на последнем этаже старинного пятизвездочного отеля, в номере высшей категории. После своего выступления вечером актриса приготовилась ко сну. Находясь одна в номере, она легла на кровать и вдруг... вскочила с криком. Со стены на нее смотрели чьи-то глаза. Вот как она сама впоследствии описывала это: «Это не было изъяном стен или рисунком. С точки зрения разума я бы назвала увиденное галлюцинациями, но я отчетливо видела глаза, смотрящие на меня прямо из стены, будто в ней кто-то замурован».

В панике Гурченко попросила, чтобы ее переселили в другой номер отеля. Однако и там лик проявился на стене. Перепуганная она вообще не стала ложиться спать и до утра просидела в фойе отеля, не смокнув глаз, а утром вернулась в Москву.

Об этом случае все могли бы позабыть, если бы через два месяца после этих гастролей Людмила Марковна не скончалась. А еще спустя полгода в администрацию гостиницы стали поступать сообщения от постояльцев президентского люкса, которые время от времени наблюдают странное явление — будто у стены появляются глаза, которые наблюдают...

Эзотерики тут же связали смерть Гурченко с ее видениями. Они считают, что после смерти актриса не отошла в мир иной, ее душа по каким-то причинам осталась на земле и теперь мечется неприкаянная, проявляясь в виде призраков и привидений. Этим объясняется то, что ее видят на стене в питерском отеле. Этим объясняются и слухи о том, что в доме, где прошли последние годы звезды, почти все соседи видели ее хрупкую тень, проявляющуюся на лестничной клетке, а некоторым даже удалось сфотографировать странную сущность.

Каким же образом Гурченко увидела глаза на стене? Возможно, она увидела сама себя, но через какое-то время. Или душа попыталась через какие-то порталы из будущего вернуться назад и о чем-то ее предупредить. Увы, иного объяснения этому нет.

Людмила Зыкина:
бабка певицы продалась черным силам

Исполнительница русских народных песен и романсов Людмила Георгиевна Зыкина (10 июня 1929 — 1 июля 2009) верила в то, что на ней лежит венец безбрачия. Таким образом, она, будто бы, расплачивалась за грехи собственной прабабки, которая была известной на всю Москву ведьмой.

«Я много раз говорила с людьми знающими и посвященными, они лишь подтверждали мои догадки, — уже в преклонном возрасте поведала журналистам певица. — За грехи наших предков расплачиваемся мы. Она продалась черным силам, не задумываясь о будущем рода. Увы, этого никак не изменить, такова судьба».

Правда это или нет — неизвестно. Но факты говорят сами за себя: Людмила Зыкина была замужем четыре раза. Детей у нее не было. Сама она на этот счет говорила, что хотела иметь детей, но отсутствие наследников — это часть бабкиного проклятья.

Был и еще один весьма мистический эпизод в жизни звезды. Когда у Людмилы Георгиевны умерла мать, она так переживала, что лишилась голоса. Не то, что петь не могла — с трудом говорила, «сипела», а помочь ей не могли ни лекарства, ни народные средства. Голос вернулся спустя ровно год — в день годовщины смерти матери.

Максим Горький: обладал гипнозом и воздействовал на людей

Мария Федоровна Андреева, жена известного русского писателя Максима Горького (16 марта 1868 — 18 июня 1936) в своих воспоминаниях поведала всему миру о малоизвестном эпизоде жизни писателя.

Дело было на острове Капри. Горький работал над книгой «Жизнь Матвея Кожемякина». В тот день он описывал, как Посулов убил ножом свою жену Марфу. Мария Федоровна услышала, что в кабинете мужа упало что-то тяжелое, и пошла к нему. На полу около письменного стола лежал Алексей Максимович, раскинув руки в стороны.

«Кинулась к нему — не дышит! Приложила ухо к груди — не бьется сердце... Расстегнула рубашку, разорвала шелковую фуфайку на груди, чтобы компресс на сердце положить, и вижу: с правой стороны от соска вниз тянется у него по груди розовая узенькая полоска... А полоска становится все ярче, ярче и багровее... Вдруг он резко пришел в себя, поднялся. Видя мое испуганное лицо, он рассмеялся и встал. Кровь на груди исчезла полностью».

Шокированной супруге писатель пояснил, что ему нужно было провести эксперимент, проверить, как будет вести себя женщина, обнаружив труп близкого человека, что станет кричать, как проверять, дышит ли он еще... То есть он импровизировал свою смерть. Но куда же делать кровь? И тут Горький раскрыл Андреевой страшную тайну: он умеет внушать свои мысли другим. Возможно, это было гипнозом, но в те времена писатель обзывал свой дар именно так — «внушение».

«Он говорил, что может подумать о приятеле, как тот тут же собирается к нему в гости и через пару часов стучится в дверь, — вспоминала Мария Федоровна. — Отправляясь на рынок, он мог мысленно заставить отдать нам что-то за бесценок или подарить. А иногда он и вовсе развлекался: шел по улице и посылал свою мысль незнакомому впереди идущему человеку, чтобы тот споткнулся и упал — и это случалось». К сожалению, других свидетельств о даре Горького, кроме как в записях Андреевой, нет.

Маргарет Тэтчер: лунатила во сне и читала неизвестные стихи

Маргарет Хильда Тэтчер (3 октября 1925 — 8 апреля 2013) — первая женщина, ставшая премьер-министром Европейского государства — Великобритании, пожизненный член Палаты лордов. Она получила прозвище «Железной леди» в том числе за резкую критику советского руководства.

Про одну удивительную особенность Тэтчер ходили легенды. О ней знали ее близкие, ее обсуждали коллеги, о ней писали журналисты. «Железная леди» страдала лунатизмом: в любую ночь (но чаще это происходило в полнолуние и в период начала растущей луны) она могла встать с постели и пойти куда-то. Несколько раз охрана останавливала ее, когда она в состоянии сна открывала дверь и шла по улице в неизвестном направлении. Было дело, как-то ее домашние слушали, как она в этом загадочном и до конца не изученном состоянии читала стихи. Ее не будили, поскольку психологи считают, что разбуженный лунатик может испугаться, что, в свою очередь, привет к заболеваниям. Тэтчер очень сожалела, что стихи никто не додумался записать, иначе она стала бы первым поэтом, пишущим во сне. Неоднократно со своей проблемой «Железная леди» обращалась к медикам, но специалисты помочь ей не смогли.

Марина Цветаева: тайно интересовалась астрологией

В творчестве поэтессы Марины Ивановна Цветаевой (26 сентября 1892, Москва — 31 августа 1941) можно найти немало мистических стихов. Возможно, такой отпечаток на творчество наложило ее увлечение мистикой. Она была большой поклонницей литературы обо всем непознанном и загадочном, и не раз встречалась с археологом и поэтом-импровизатором Борисом Зубакиным, который увлекался астрологией и посвящал ее в свои тайны. Он был потомком старинного ирландского рода, в котором из поколения в поколение переходили мистические традиции.

Судя по сохранившимся остаткам архива НКВД, Зубакин был учеником астролога Александра фон Кордига, в круг которого попал еще в юности. Зубакин обладал гипнотическими способностями. Однажды он рекомендовал Цветаевой на некоторый период принять обет молчания, и она его соблюдала по принципу: «Да — Да, нет — нет, остальное — от лукавого».

Кстати, родная мать Цветаевой была ясновидящей, лечила людей, видела вещие сны, в которых преодолевала время и расстояния. Правда, дар свой она передала не Марине, а ее младшей сестре. Спустя годы Анастасия Ивановна даже напишет книгу обо всех мистических историях, происходивших в ее семье — «О чудесах и чудесном».

Марина Цветаева покончила с собой в возрасте 49 лет. Согласно ее воле на высоком берегу Оки, в ее любимом городе Таруса установлен памятный камень с надписью «Здесь хотела бы лежать Марина Цветаева».

Михаил Булгаков: передал колдовскую силу бывшей жене

Михаил Афанасьевич Булгаков (3 мая 1891 — 10 марта 1940) — один из самых загадочных и талантливых писателей России, жизнь которого была окутана тайной. Есть мнение, что он был масоном, что общался с нечистой силой, видел пророческие сны и жить не мог без визитов к гадалкам. В последние годы жизни, дабы снизить боль от убивавшей его болезни под названием гипертонический нефросклероз он стал наркоманом и, как утверждают некоторые исследователи его творчества, открыл портал в иное измерение.

Исследователь жизни творчества Булгакова, литературовед, историк и публицист Владимир Борисович Самойлов, говоря, что сам, как ученый, не верит ни в какие в необъяснимые явления и не является сторонником всего непознанного, однако в случае с Михаилом Афанасьевичем вынужден признать: без мистики тут не обошлось. В своих произведениях писатель часто упоминает иные миры, которые существуют параллельно с нашими и описывает их так ярко, детально, что вывод напрашивается один — он их видел. И это не преувеличение: есть свидетельства от людей, общавшихся с Булгаковым, которым он рассказывал, что наркотические вещества вводят его в состояние, когда «мозг отключается, тело уменьшается до размеров души и перемещается куда-то, где можно найти ответы на вопросы мироздания».

Но если подобные заявления можно списать на бред больного наркоманией, то следующие исторические факты неопровержимы и подтверждены многими источниками. Известно, например, что он регулярно видел вещие сны и нередко удивлял знакомых предсказаниями, не просто предсказывая какие-то события, а ярко описывая все, что произойдет до мельчайших деталей, указывая даты, имена, названия улиц и номера домов.

Также известно, что писатель немало денег тратил на походы к гадалкам. Естественно, магических салонов в те времена официально не существовало, но многие люди, особенно считающиеся элитой того времени, нередко устраивали подпольные спиритические сеансы и наведывались к ведуньям и колдуньям. Говорят, Булгаков настолько увлекся посещением гадалок и прочих служителей оккультных наук, что его близкие друзья в какой-то момент заподозрили, что на него наслали то ли порчу, то ли проклятье, то ли просто околдовали его, в результате чего он как зомбированный каждую неделю ходит на приемы, отдавая за сеансы не только деньги, но и вещи, и золото. Самойлов приводит такой факт: однажды Булгакову не чем было расплатиться за сеанс предсказательницы, и он оставил ей свою шапку и пальто. А поскольку дело было зимой, несмотря на холод, ему пришлось раздетым возвращаться домой, из-за чего он простыл и долго болел.

Что получал от гадалок в салонах Булгаков — неизвестно. Версии существуют самые разные, и одну из них поклонники писателя считают самой правдоподобной, несмотря на всю ее фантастичность. И Самойлов и историк, автор книги «Расшифрованный Булгаков» Борис Вадимович Соколов и многие другие исследователи находили материалы, подтверждающие, что сам писатель увлекался магией, проводил какие-то тайные ритуалы и обряды на дому и даже несколько раз был обвинен соседями в своей причастности к колдовству. Однажды в органы охраны правопорядка на него поступила жалоба, в которой сообщалось об обрядах поклонения духам, которые писатель устраивает в своем доме, издавая страшные звуки, рисуя на полу и стенах непонятные символы и ставя по всему жилищу зажженные свечи... Все это походило бы на чью-то воспаленную фантазию, если бы не один факт, связанный с женщиной.

Татьяна Лаппа. В 1908 году, когда ей было всего 16 лет, она гостила у своей тети в Киеве, где познакомилась с мальчиком Мишей. Между молодыми людьми быстро вспыхнули нежные чувства. Не прошло и трех лет, как юный Булгаков отправился на родину своей избранницы — в Саратов, знакомиться с будущими тестем и тещей, которые, немного поколебавшись, дали свое согласие на брак.

Через некоторое время Булгакова мобилизовали на фронт, и он как военный врач начал работать в госпиталях. Татьяна, как жена декабриста, последовала за мужем и наравне с ним ухаживала за ранеными, работая сестрой милосердия. «Держала ноги, которые он ампутировал. В первый раз стало дурно, потом ничего», — писала Татьяна в своих воспоминаниях.

После возвращения с фронта Булгаков работал земским врачом в маленькой деревеньке Сычевка под Смоленском, туда же отправилась и Татьяна. Пациентов было много, большинство из них умирали от голода и отсутствия лекарств, и молодой врач ничем не мог помочь своим подопечным. Именно тогда Булгаков пристрастился к морфию.

Жизнь с наркоманом — всегда испытание, а если кругом разруха и безденежье, это становится настоящим бедствием. Чтобы достать морфий, приходилось продавать семейные драгоценности, отказываться от самого насущного. Во время ломок Булгаков то становился агрессивным (угрожал жене оружием, однажды швырнул в нее горящий примус), то начинал плакать и умолять супругу не сдавать его в приют для наркоманов.

Осенью 1921-го супруги перебрались в Москву. Началась суровая борьба за выживание. Булгаков по ночам писал «Белую гвардию», Татьяна сидела рядом, регулярно подавая мужу тазики с горячей водой, чтобы согреть заледеневшие руки. Усилия не пропали даром — через несколько лет Булгаков-писатель входит в моду. А вот семейная жизнь дала трещину. Татьяна не слишком интересовалась литературными изысканиями мужа и в качестве жены писателя казалась слишком уж незаметной. Булгаков хотя и уверял Татьяну, что никогда от нее не уйдет, предупреждал: «Если встретишь меня на улице с дамой, я сделаю вид, что тебя не знаю». В ту пору Булгаков активно флиртовал с поклонницами.

Но своего обещания никогда не покидать Татьяну Булгаков так и не сдержал. В 1924 году супруги развелись. Спустя ровно 16 лет писатель тяжело, в муках умирал. Трудно было поверить, что измученный, немощный, скрюченный болезнью человек когда-то был стройным синеглазым юношей, который впоследствии стал великим писателем. В жизни Булгакова случалось многое — были и головокружительные взлеты, и пора безденежья, его любили ослепительные красавицы, он был знаком со многими выдающимися людьми того времени. Но перед смертью он вспоминал лишь о своей первой любви. «Найдите Тасю, я не смогу умереть, пока не увижу ее», — умолял он медсестру. Ее нашли.

Как рассказывают, Татьяна попросила оставить ее наедине с бывшим мужем и не беспокоить. В это время в больнице произошла нештатная ситуация — ненадолго погас свет. Когда же лампы зажглись вновь, из палаты вышла Лаппа и объявила, что Булгаков умер. Диагноз подтвердили врачи, а в народе тут же пошел слух, что отойти в мир иной Михаил Афанасьевич не мог, пока кому-нибудь не передаст свою силу.

Дело в том, что на Руси было принято считать, что колдуны, ведьмы и прочие промышляющие магией особы, когда приходит их время умирать, лишь тогда смогут испустить последний дух, когда найдут очередную жертву — человека, которому передадут свою силу. Некоторые мистические книги описывают ритуал подобной передачи и даже целые обряды. Учитывая, что жизнь писателя была окутана легендами, а его произведения по тем временам не на шутку шокировали читателя, сплетники были убеждены, что Булгаков не хотел абы кому отдавать свою мистическую силу, оттого и просил разыскать бывшую жену.

Татьяна Николаевна Лаппа умерла в возрасте 90 лет — в 1982 году. Она оставила множество устных воспоминаний о Булгакове, записанных его исследователями и журналистами. Одна тема была закрыта для всех и всегда — мистика писателя не в книгах, а в реальной жизни. До последних дней она жила в Туапсе, и в дом к ней часто наведывались известные в те времена целители, экстрасенсы и просто странные люди. Что они делали и о чем говорили — никто никогда так и не узнал, а журналистское расследование, затеянное в конце 70-х годов репортером местной газеты «Туапсинские вести», чтобы развеять слухи, завершилось ничем: журналист трагически погиб.

Михаил Врубель:
личный художник Демона

Художника, прославившего свое имя практически во всех видах и жанрах изобразительного искусства, Михаила Александровича Врубеля (5 марта 1856 — 1 апреля 1910), по праву считают самым настоящий мистиком от искусства, непознанное и таинственное присутствует и в его жизни, и в его работах.

Достаточно сказать, что он нарисовал серию картин Демона («Демон сидящий», «Демон летящий», «Демон поверженный» и др.). Показывая свои работы первым зрителям, он пояснял: «Демон — дух не столько злобный, сколько страдающий и скорбный, но при всем том дух властный... величавый, который требует поклонения и уважения к себе». Он также говорил, что искренне верит в существование Демона в реальности, но искренне рекомендовал никому с ним не встречаться. В более поздние годы Врубель признается, что Демон постоянно является к нему в видениях, а сам он ловит себя на мысли, что одержим им.

Девяностые годы — эпоха бурного развития спиритических сеансов. Чешский художник-символист Альфонс Муха, творчеством которого очень интересовался Врубель, много внимания уделял спиритическим сеансам, проектировал столики для вызывания духов и отражал полученные на сеансах впечатления в своем творчестве. Врубель тщательно изучил стиль Мухи и во многом ему подражал. А на своих сеансах, результаты которых он держал в секрете, вызывал художник, конечно же, Демона...

Мистические настроения все более властно овладевали душой художника. Кстати, окружающие и вправду иногда говорили про художника — «как будто демон в него вселился», а все из-за его характера. Он был вспыльчив и иногда резок с коллегами, использовал нецензурную лексику, мог оскорбить кого-нибудь или устроить драку. Все это привело к тому, что в середине 1900-х годов в жизнь художника ворвалась душевная болезнь. Его увозили в психиатрическую лечебницу, а он кричал по дороге: «Оставьте меня! Я Демон! А вы все умрете! Все, кто прикасался ко мне своими погаными руками!».

Последние годы жизни он провел в психиатрической лечебнице. Взять в руки кисть ему больше не удалось: от успокоительных лекарств, которые давали буйно помешанному, он полностью ослеп. Многие, кстати, увидели в этом еще один мистический след. Специалисты по сей день утверждают, что перечень лекарств, принимаемых пациентом, не мог привести к слепоте даже при превышении дозы приема. К слову, есть версия, что слепота была вызвана не таблетками, а будто бы сам Врубель, проводя какой-то магический ритуал, сам выколол себе глаза, но сей факт просто утаили от потомков.

Михаил Зощенко:
всегда носил в кармане колоду карт

Все, кто при жизни общались с признанным классиком русской литературы Михаилом Михайловичем Зощенко (28 июля 1894 — 22 июля 1958) знали, что писатель увлекается гаданием на картах. Он всегда носил в кармане уже старую и потертую колоду и по просьбам друзей делал им расклады «на жизнь», отвечал с помощью карт на любые вопросы.

Однажды утром, например, он нагадал своему приятелю, писателю Юрию Олеше неприятный разговор, после которого — смешной казус. В тот же день к Юрию пришел кредитор — требовать долг, с возвратом которого он затягивал. А спустя пару часов на улице в людном месте у Олеши порвались штаны...

Зощенко говорил, что увлекся гаданием на картах, еще будучи студентом, когда некий гастролирующий гипнотизер, большой умелец гадать на картах, предсказал ему: «У вас, юноша, скоро обнаружатся большие способности. Вы прославитесь. Но кончите плохо. А на похоронах ваших умные люди будут смеяться». В общем, так оно все и вышло.

Михаил Калашников: предполагал, что гости с другой планеты стерли его память

При жизни за известным оружейником-конструктором, создателем автомата, названного по его фамилии, Михаил Тимофеевич Калашников (10 ноября 1919 — 23 декабря 2013) постоянно наблюдали инопланетяне. Об этом сам изобретатель охотно рассказывал и уфологам, и журналистам, он был частым гостем теле— и радиопрограмм, посвященным аномальным явлениям.

«Уж не знаю, что им нужно, может, мозг мой устроен не так, и они хотят понять, как мне удаются изобретения, но они в моей жизни последние лет пятьдесят, — признавался Михаил Тимофеевич. — Однажды поехали с другом на рыбалку, заплыли на лодке на середину реки, а тут над нами тарелка как появилась! К берегу гребли руками и ногами, лишь бы спастись».

По словам Калашникова, частенько он видел НЛО, просто гуляя на улице, ночью в небе — когда выходил подышать свежим воздухом у себя на даче, в горах — когда уезжал поправить здоровье в санаторий. Правда в контакт пришельцы с ним ни разу так и не вступили. «А может просто я об этом не знаю — в кино же показывают, что гости с других планет умеют стирать память», — улыбаясь, говорил Калашников. —

Кстати, некоторые уфологии склонны считать, что пришельцы на самом деле следили за конструктором, но для того, чтобы он не создал что-нибудь лишнее, что могло бы уничтожить цивилизацию. Как бы то ни было, после гениального автомата Калашников так больше ничего и не изобрел.

Михаил Кутузов: сжег Москву, выполняя масонский ритуал

Русский генерал-фельдмаршал, главнокомандующий во время Отечественной войны 1812 года Михаил Илларионович Голенищев-Кутузов (5 сентября 1745 — 16 апреля 1813) помимо военного и дипломатического талантов обладал ярко выраженным даром мистика и мага. Причем реализовывал он эти свои дарования в рядах тайной организации.

Так, из официальных источников известно, что семья Голенищевых-Кутузовых была тесно связана с масонско-розенкрейцеровскими кругами. Имена многих ее членов встречаются в масонских кружках с конца XVIII века. В 1803 году розенкрейцерами открывается в Москве тайная ложа «Нептун», в которую тут же вступает Михаил Илларионович. Как пишет исследовательница масонства в России Тира Соколовская, в ложе занимались алхимией и магией, том числе черной и сношениями со злыми духами. Причем, по мнению автора, есть свидетельства, что в страшных ритуалах принимал участия лично главнокомандующий.

Посвящение Кутузова в масоны произошло в городе Регенсбурге (ложа «К трем ключам»), впоследствии Кутузова принимали в ложах Франкфурта, Берлина, Москвы и Петербурга. При посвящении в 7-ю степень шведского масонства Кутузов получил орденское имя «Зеленеющий лавр». Впрочем, и большинство русских офицеров (особенно из лучших дворянских родов) тоже были масонами и поклонниками мистики и магии. Все это отражалось на карьере Кутузова.

После Бородинской битвы стало абсолютно ясно — в наступательном бою русская армия потерпит непременное поражение и также крайне сомнительна ее способность выдержать удары французской армии в поле. Кутузов получает от своих тайных начальников приказ оставить Москву без боя, сохранив до строго определенного момента ее в целости и сохранности с определенным количеством населения. Следующий и самый главный пункт приказа — провести магический ритуал, превратив в магический алтарь огня всю русскую столицу, принеся в жертву не только огромное количество имущества, но и ее православные святыни и часть населения. Именно поэтому в городе оставили часть населения и русских раненых. Раненые самостоятельно выбраться из города не могли, гарантированно становясь жертвой. И поэтому вывезли весь пожарный инвентарь, чтобы французы и оставшиеся в городе жители не смогли серьезно помешать магическому действу.

Историки утверждают, что для проведения ритуала Кутузов использовал как технических исполнителей поджогов — диверсантов, так и специально направленных в Москву для проведения ритуала магов Колдовской Службы. Это подтверждают известные всему миру слова Кутузова, сказанные в его ставке во время встречи с французским представителем Лористоном. Кутузов прямо заявил: «Я хорошо знаю, что это сделали русские; проникнутые любовью к родине и готовые ради нее на самопожертвование, они гибли в горящем городе». Для максимального эффекта французская армия должна была находиться во время проведения ритуала как можно ближе к жертвенному огню. Именно поэтому в Москве как дополнительную приманку оставили все ценности Монетного двора и оружие в Арсенале. Кутузов, зная колоссальную силу магии, на военном совете совершенно верно указал, что само уступление Москвы французам приготовит для них неизбежную гибель. Именно поэтому Кутузов столь уверенно ручался своей головой, что неприятель погибнет в Москве.

После успешного проведения ритуала французская армия была обречена на неминуемую гибель, которая вскоре и произошла. Сам по себе гигантский пожар, уничтоживший до 75% города, ощутимого ущерба французам не нанес. Но карающая магическая сила огня уничтожила армию как боеспособную организованную силу, уничтожила боевой дух армии. Это был крах всех надежд французов и чудо в карьере Кутузова. Наполеон, этот гениальный полководец, мог победить любого врага, но против магии русских он был бессилен. Прекрасно это понимая, он отдал приказ об отступлении.

Но кто же подлинный творец победы над Наполеоном? — загадка, мучащая не одно поколение историков. Но в том, что это рук дела масонов, не сомневается никто. Более того, магический ритуал в Москве имел и иные последствия. Если в начале своего царствования император Александр I явно благоволит к масонам, то, после победоносной войны с Наполеоном, в 1822 году он запрещает деятельность масонских лож в России. Несомненно, на это его решение повлияли московские события 1812 года.

Михаил Лермонтов:
напророчил собственную смерть

С первой и до последней минуты жизнь русского поэта и прозаика Михаила Юрьевича Лермонтова (3 октября 1814 — 15 июля 1841) представляла собой цепь удивительных загадок, которые до сих пор пытаются разгадать и объяснить сегодняшние исследователи всего таинственного и потустороннего. Больше всего любопытных фактов дошли до нас благодаря близкому другу семьи Лермонтовых Петру Кирилловичу Шугаеву, который всю жизнь собирал материалы о поэте, полагая, что он — великий человек, память о котором нужно непременно сохранить для потомков. Благодаря Шугаеву, мы знаем, в частности, что акушерка, принимавшая роды, по каким-то только ей ведомым приметам тут же заявила, что этот мальчик не умрет своей смертью. Пророчество прозвучало около полуночи 3 октября 1814 года в Москве у Красных ворот в доме генерал-майора Ф. Н. Толя. Когда Лермонтов уже был взрослым, он нередко говорил друзьям, что умрет молодым, поскольку искренне верит в сказанное той самой акушеркой. «Может быть, она увидела перед глазами мою судьбу и предрекла ее, а может просто сказала, что было на языке, невольно повлияв на мою жизнь», — говорил он. В юности поэт даже пытался разыскать ее, чтобы расспросить подробности, но безрезультатно.

Как известно, Лермонтов был смертельно ранен на дуэли с майором в отставке Николаем Мартыновым, которая состоялась 15 июля 1841 года (по старому стилю) между 18 и 19 часами. Разворачивались события возле Пятигорска у Перкальской скалы. Условия поединка были очень жесткими: стреляться до трех раз при барьере в 15 шагов. При этом Лермонтов вдруг объявил, что отказывается от выстрела. Но Мартынов отказаться не мог, поскольку в этом случае все посчитали бы поединок фарсом.

За несколько минут до начала поединка, как вспоминали секунданты, неожиданно пошел дождь и подул ветер, хотя все утро стояла солнечная и безветренная погода. По сигналу Мартынов пошел к барьеру, а Михаил Юрьевич остался на месте. Поэт поднял руку с пистолетом вверх и выстрелил в воздух. Противник же, не раздумывая, произвел выстрел в соперника. Пуля попала в грудь Михаилу Юрьевичу и пробила ее навылет. Смерть наступила мгновенно.

Ни врача, ни повозки не было. Тело лежало на земле под дождем несколько часов, после чего его перевезли в дом, где поэт прожил два последних месяца своей жизни. А на следующий день поэта похоронили при огромном стечении народа на Пятигорском кладбище. Так закончился жизненный путь великого русского поэта. Он прожил всего 26 лет.

Загадка последней минуты жизни поэта заключалась в том, что перед роковым выстрелом Лермонтов был удивительно спокоен, смерть ожидал с улыбкой. Об этом вспоминает и секундант Лермонтова князь Александр Васильчиков, которого поразило веселое лицо дуэлянта. «Он как будто знал, что сейчас, в эту минуту, будет убит, — вспоминал Васильчиков. — И он радовался этому. Ночью, когда его тело находилось в избе, все уже вспоминали ту самую акушерку... Только говорили, что не она напророчила смерть, а он сам. Она лишь заставила его рассудок помутниться, а он довел себя до такого состояния...».

Как бы то ни было, факт остается фактом: Лермонтов не хотел жить и спровоцировал Николая Мартынова на убийство. К такому выводу в недописанных воспоминаниях после многолетних мучительных раздумий приходит и сам Мартынов. Он считает, что стрелять в него Лермонтов и не собирался. Правда, понял он это слишком поздно — в роковые минуты дуэли обозленный на Лермонтова противник не мог осознавать зловещего плана поэта. Иначе выстрелил бы в воздух...

Спустя 30 лет, на исходе жизни, Николай Мартынов указал на рок, который выбрал его в убийцы великого поэта, а себя посчитал жертвой адского замысла.

Любопытен и другой факт: исследователи творчества Лермонтова утверждают, что он нередко исповедовался устами героев своих произведений, вкладывал в них свои мысли, словно хотел быть узнанным и понятым до конца — даже после смерти. Как тут не привести слова Печорина — центрального персонажа романа «Герой нашего времени»: «Я вступил в эту жизнь, пережив ее уже мысленно, и мне стало скучно и гадко, как тому, кто читает дурное подражание давно ему известной книги». Известный литературный критик и публицист Виссарион Григорьевич в своих работах пришел к выводу, что «Печорин — и есть сам Лермонтов».

Тема смерти — одна из ведущих в поэзии Лермонтова. В одном стихотворении он признается: «Я предузнал мой жребий, мой конец, и грусти ранняя на мне печать». Что это — ясновидение? Вероятно, этот же вывод следует из пророческого предсказания: «На месте казни — гордый, хоть презренный, я кончу жизнь мою». Заметьте — казни. О дуэли, как поединке равных, и речи нет. История дуэли Лермонтова — история организованной самим Лермонтовым собственной казни... За что же так не любил себя Лермонтов? Загадка! Но он ясно знал: «И не забыт умру я. Смерть моя ужасна будет». И тянулся к смерти: «Кровавая меня могила ждет, могила без молитв и без креста». Действительно, участники похорон вспоминали: похороны прошли не по христианскому обряду, крест на могиле установлен не был. Отсюда вывод напрашивается один: поэт знал свое будущее.

Почему же не жилось Михаилу Юрьевичу? Не по той ли причине, по которой не жилось и его предкам?

Дед Лермонтова, Михаил Васильевич Арсеньев, не дождавшись в новогоднюю ночь любовницы, выпил стакан какой-то дряни и умер.

Мать поэта, Мария Михайловна, некрасивая и не в меру ревнивая, устроила красавцу мужу скандал, а тот вспылил и ударил жену. Да так, что после этого у Марии Михайловны «развилась злая чахотка». В результате мать маленького Миши сошла в могилу, а отец, Юрий Петрович, оставив сына на попечение бабушки, вскоре спился и умер 46 лет отроду. Вот откуда взялось знаменитое признание: «Я никому не мог сказать священных слов «отец» и «мать»». Со смертью Михаила Юрьевича род Лермонтовых пресекся. И это — разгадка еще одной мистической тайны — тайны внешности, которая не дает покоя современным астрологам.

Дело в том, что, принадлежа к зодиакальному типу Весы, управляемый Венерой, Михаил Юрьевич должен был иметь достаточно привлекательную внешность. Но внешность его многих отталкивала и даже, как свидетельствуют некоторые источники, «вызывала отвращение и раздражение». Почему? Вот свидетельство Ивана Сергеевича Тургенева: «В наружности Лермонтова было что-то зловещее и трагическое, какой-то сумрачной и недоброй силой, задумчивой презрительностью и страстью веяло от его смуглого лица, от его больших и неподвижных глаз». Ответ дают те же астрологи: есть мнение, что человек, проживающий не свою жизнь (например, рожденный с одной судьбой, но поменявший ее, воздействовавший на нее, что и могло произойти с поэтом, который с детства убеждал себя в ранней смерти и таким образом мог попросту «запрограммировать» себя на кончину, ведь сила человеческой мысли до сих пор не изучена, но многие специалисты в один голос утверждают, что она — материальна), таким образом, нарушая законы мироздания и изменяя книгу судеб, меняется в лице и приобретает так называемый «лик дьявола».

Считается, что дьявол помечает таких людей ужасной внешностью. Причем, весь ужас осознают только те, кто общаются с этим человеком «в живую», с глазу на глаз. То есть на фотографии, на картине можно видеть перед собой довольно симпатичного и интересного человека, но стоит встретить его в реальной жизни, как в жилах начинает стыть кровь и сердце начинается биться чаще. Уж не дьявол ли пометил гения за его нежелание жить?

Михаил Ломоносов: колдуны передали письмена, оставшиеся от Гипербореи

С именем первого русского ученого-естествоиспытателя, энциклопедиста, химика и физика Михаила Васильевича Ломоносова (8 ноября 1711 — 4 апреля 1765) связано немало мифов и легенд.

Один из главных вопросов в его биографии — как ему двадцати лет отроду удалось поступить в Славяно-греко-латинскую академию — ведь в то время не было системы относительного равенства при поступлении в высшие школы, Россия была страной с процветающей абсолютной монархией, в которой крестьянские дети не имели никаких прав. И уж тем более никто даже не мог себе позволить принять на обучение «холопа», так как в 1723-м году вышел специальный указ Святейшего Синода о том, что крестьянам запрещается учиться.

Как удалось поступить? Непонятно. Неясно и как отцу Ломоносова — Василию — буквально за несколько лет из сельского бедняка, зарабатывающего на жизнь продажей рыбы, которую он ловил в пруду, удалось превратиться в одного из самых богатых людей Поморских земель. Кроме земельных наделов, Василий Ломоносов стал владельцем огромного рыболовецкого корабля. Каким образом он его получил? Вот тут то и появляется магический след...

Согласно некоторым источникам, отцу будущего гения в момент беременности его жены пришли поморские колдуны и вручили ему футляр со свитками, содержащими непонятные письмена. Один из пришедших в дом Василия сказал, что эти письмена должен прочесть его будущий сын. И в качестве подарка отцу Михаила Ломоносова, якобы, было подарено несколько мешков золота, которых хватило и на корабль, и на то, чтобы нанять новую рыбацкую команду, и на земельные наделы, и на обучение сына в Москве. Сторонники этой версии утверждают, что именно Василий направил сына на учебу в Москву и дал денег на взятки — поступил Михаил, только заплатив кому нужно.

Кстати говоря, свитки, оставленные Василию Ломоносову, содержали, якобы, письмена, оставшиеся от страны Гипербореи, которая исчезла с лица Земли более 9000 лет назад. Эти-то, мол, письмена и предстояло разгадать Михаилу.

Несмотря на всю фантастичность версии, она позволяет порассуждать на тему, а зачем вообще крестьянскому сыну понадобилось учиться. Если его отец был богатейшим человеком, то и сын мог продолжать дело отца без какой-либо образовательной базы. Но Ломоносов с малых лет уделял повышенное внимание книгам.

Получив в Москве отличное по тем временам образование, Ломоносов едет продолжать учебу в Германии, а по возвращению на родину открывает университет, который ныне носит его имя. Сторонники теории «гиперборейского свитка» говорят, что и этот его шаг направлен на то, чтобы собрать в Москве людей, которые смогли бы разгадать тайны древней цивилизации.

Увы, все исследования на эту тему так и не покинули стен университета, оно и понятно — слишком пикантна ситуация. Но известно, что однажды один из «изгнанных» за плохую успеваемость учеников Ломоносова пустил слух о том, что помимо естественных наук, Михаил Васильевич обучает будущих коллег-ученых тайнам непознанного. Якобы, будучи уверенным, что существуют призраки, он заставляет налаживать с ними контакты и делать все, чтобы мир людей и мир призраков взаимодействовал. Объяснить происхождение призраков, их природу и действия Ломоносов, говорят, пытался всю свою жизнь. Однако записей на эту тему в архивах университета на сегодняшний день нет.

Еще одна загадка Ломоносова связана с его смертью. Умер он в 1765 году, не дожив и до 54 лет. Кто-то снова видит в этом тайный знак. Якобы, не мог здоровый поморский мужик умереть столь рано. Некоторые историки даже высказываются в том духе, что Ломоносова отравили, так как он «взобрался слишком высоко». А кто-то говорит о кознях тех самых колдунов, которые так и не получили расшифровки странных свитков Гипербореи. Или, наоборот, получили и избавились от улик...

Модест Мусогорский: побывал в резиденции у бога

Великий композитор Модест Петрович Мусоргский (9 марта 1839 — 16 марта 1881) известен в мире мистики благодаря случаю, о котором он в красках рассказывал своим друзьям и коллегам по «Могучей кучке». Со слов классика, однажды он побывал в гостях у самого бога. Дело это было, когда летним днем он отдыхал, развалившись на лужайке возле дома. Припекало солнце и, скорее всего, у него случился солнечный удар. В этот момент он увидел, что луч солнца спустился за ним, обхватил его тело и поднял на облака, где его ждал челок в белых одеждах, представившийся богом. Они перекинулись парой слов, после чего бог сказал, что время умирать композитору еще не пришло, и пригрозил, чтобы тот больше не расслаблялся под палящими лучами солнца.

Почти все, кто слышал эту историю, поднимали рассказчика на смех, а он обижался, говоря, что это не было сном, — он на самом деле общался с богом! Удивительно, но все, что описал Мусогорский почти две сотни лет назад, сегодня знакомо уфологам: они считают, что речь идет о классическом похищении инопланетянами, просто композитор не знал, что такое УФО, вот и принял пришельца за бога.

Мстислав Ростропович: не расставался с волшебной пиктограммой

Спустя несколько лет после смерти известного музыканта и общественного деятеля современной России Мстислав Леопольдовича Ростроповича (27 марта 1927 — 27 апреля 2007) его бывшая супруга Галина Вишневская раскрыла некоторые тайны его биографии, ранее неизвестные и нигде не публиковавшиеся. Благодаря этому мы узнали, например, что Ростропович верил во всевозможные обереги и талисманы. В бумажнике он всегда носил купюру в один доллар — чтобы деньги никогда не заканчивались. В дорогу непременно брал с собой иконку. Кроме того, во внутреннем кармане его пиджака всегда лежал нарисованный на небольшой картонке обычными черными чернилами символ — некая пиктограмма, которая будет его оберегать от бед и помогать в жизни, которую для него разработал и нарисовал известный тибетский маг, у которого он однажды гостил.

Впрочем, сам Мстислав Леопольдович веры в магические артефакты отчего-то стеснялся и жутко смущался, когда про них кто-нибудь узнавал. Кроме того, он считал, что все магическое — тема интимная, и об этом никто не должен знать. Лишь в одном из тысяч данных за свою жизнь интервью он затронул тему эзотерики. На шуточный вопрос о том, существует ли призрак оперы, он вполне серьезно ответил: «Да, конечно, и я его не раз видел. Как, по-вашему, я смог бы написать несколько сот произведений, если бы не договорился с музами, духами музыки и прочими-прочими?..».

Мэрилин Монро:
из-за знамения лишила рассудка мать

Американская актриса, певица и секс-символ Мэрилин Монро (1 июня 1926 — 5 августа 1962) часто вспоминала о мистическом случае, произошедшем с ней в детстве. Однажды, будучи еще ребенком, Норма Джин (так звали ее при рождении, знаменитый псевдоним она взяла себе значительно позже) поехала вместе с матерью на ее родину — в Мексику. Как-то она гуляла вдалеке от дома, когда начался сильный дождь с грозой. Девочка побежала к укрытию, но поскользнулась и упала. Тут она посмотрела на небо и увидела невероятное. При очередной вспышке молнии яркий свет осветил облака, и среди них она увидела фигурку ангела. Это длилось несколько секунд, но ей показалось, что прошла целая вечность. Позднее, когда она поведала историю взрослым, ее отвели к священнику. Тот, внимательно выслушав ребенка, пояснил, что подобное явление — знамение, предвестие чего-то хорошего, и предположил, что девочка покинет семью, уедет на заработки, став известной и богатой.

Эта истории имела бы хэппи энд, если бы не одно но: мать будущей актрисы настолько «заболела» этой идеей, что на ее почве потеряла рассудок и угодила в психиатрическую лечебницу, где прожила после этого 50 лет. Когда дочь ее стала звездой первой величины, она этого попросту не осознавала.

Со смертью самой Мэрилин также связано немало загадок. Тело Мэрилин нашли в спальне ее дома в Брентвуде. Официальная версия — самоубийство, но сторонники теории заговоров убеждены, что с ней расправились ее бывшие любовники, среди которых — сплошь известные политики.

Наполеон:
сгенерировал своего двойника

Имя Наполеона I Бонапарта (15 августа 1769 — 5 мая 1821) обросло многочисленными легендами и невероятными слухами, многие из которых были созданы еще при жизни этого великого императора Франции. Одна из них, являющаяся скорее не легендой, а задокументированным фактом, который содержится в написанной выдающимся русским ученым, профессором П. И. Ковалевским книге под названием «Наполеон I и его гений. Психиатрические эскизы из истории».

По мнению Ковалевского, обладающий способностью ясновидения средневековый алхимик, врач и колдун по имени Филипп Дьелонье Ноэль Оливатиус после своей смерти оставил рукопись, обнаруженную секретарем Парижской коммуны Франкоисом де Метцем. Последний нашел рукопись в результате обысков в библиотеках неньевских и бенедиктинских монахов. Франкоис де Метц скопировал эту рукопись, поставив дату — 1793 год.

Как рассказывает приближенный к императору полковник Аббу, Наполеон ознакомился с этой копией после своего коронования. Реакция его была такой: после прочтения, он немедленно направился к своей жене Жозефине и в ее покоях начал ей вслух читать этот средневековый документ, в котором было, в частности, сказано: «Сверхъестественное существо будет произведено на свет от Франции и Италии. Этот совсем молодой человек придет со стороны моря, усвоив манеры и язык кельтов Франкии. Будучи молодым, он сможет с помощью своих воинов, генералиссимусом которых он станет позже, преодолеть тысячи преград и препятствий на своем пути. Эта извилистая дорога для него будет сопряжена с многочисленными страданиями. Пять лет, даже больше, он будет сражаться рядом с местом своего рождения. Воюя на всех четырех сторонах света, он будет командовать этой войной с большой славой и огромной доблестью. Ему удастся заново возродить романский мир, даровать германцам законы; положить наконец-то конец смуте и ужасам, царящим в кельтской части Франции. Этот человек будет провозглашен не как раньше — королем, а станет императором, и народ с великим энтузиазмом и радостью будет приветствовать его». Дойдя до середины этой рукописи, Наполеон, передав ее своей жене Жозефине, просит дочитать ему вслух дальше.

«В течение следующих десяти лет он заставит обратиться в бегство королей, принцев и герцогов, — начала читать Жозефина. — Затем назначит новых герцогов и принцев, создаст войско численностью более двадцати тысяч человек, помноженное на сорок девять; у его воинов будут трубы из железа; в его войсках будет семь умножить на семь тысяч коней, на которых будут сидеть солдаты со стальными саблями, кирасами и пиками. В его войске будут ужасные машины, изрыгающие серу, распространяющие огонь и смерть. Ими будут управлять две тысячи раз семь тысячи человек... 55 месяцев он будет воевать в стране, в которой пересекаются широты и параллели. Его враги огнем сожгут великий город этой страны, и после этого он войдет туда со своими солдатами. Он уйдет из города, который будет превращен в пепел, и после этого его армии придет конец. У его войска не будет хлеба и воды, ужасный холод оставит от его армии только одну третью часть, которая никогда больше не будет воевать под его началом... Остальные погибнут от холода. Его самого приговорят к изгнанию, он там пробудет около 11 месяцев, там, где родился и откуда пришел...».

Точно такое же предсказание бравому артиллерийскому офицеру Бонапарту и девице Жозефине Богарнэ было сделано еще до их коронации. Автором этого пророчества была Мария Ленорман — владелица салона, где она предсказывала судьбу на картах таро. На первом же сеансе она нагадала Жозефине — вдове с двумя детьми — скорое замужество, а также то, что судьба Франции будет в ее руках.

«Провидение, — напророчила будущей императрице Ленорман, — вмешается в твою жизнь, и совсем скоро ты выйдешь замуж за человека, которого полюбишь очень сильно. Человек этой сделает тебя императрицей Франции, но после предаст».

Согласно легендам, лишь только ошарашенная от услышанного Жозефина покинула салон Марии Ленорман, туда вошел молодой офицер Бонапарт, тоже желавший узнать все о своей дальнейшей судьбе..

«»ы, мой господин, — приветствовала этого офицера Ленорман, — будете на шести высоких постах, затем будет ваша коронация, и до сорока лет у вас будет слава, жить вы будете в роскоши».

Ни будущий император, ни его будущая жена тогда не поверили словам пророчицы, хотя и не забыли их. И спустя десять лет, придя на трон, Наполеон подарил гадалке один миллион франков, а также сделал ее личной пророчицей императрицы. Ленорман еще раз повторила свое предсказание Жозефине о разводе с императором и об его поражении в России.

Мистикам известно немало случаев, когда люди, испытывающие сильное страдание, сами того не желая, неосознанно генерировали своего двойника, не видя его при этом. Видели этого двойника подчас за тысячи километров люди, которые являлись его родственниками или близкими друзьями. Подобное появление двойника в науке называется «кризисным видением».

Подобный случай произошел и с Наполеоном. 5-го мая 1812 года, когда Мария Луиза Австрийская — мать Бонапарта — находилась в своей гостиной в Палаццо Бонапарте. Привратник впустил в дом незнакомца, который был закутан в широкий плащ, а глаза были скрыты под шляпой, надвинутой на них. На вопрос привратника о том, что ему нужно, незнакомец заявил, что должен немедленно встретиться с синьорой Мадре, так как прибыл с вестями от ее сына с острова Святой Елены, где он находится в изгнании. Разумеется, хозяйка тотчас распорядилась впустить к ней незнакомца. Вошедший стоял, молча, продолжая прикрываться плащом и шляпой до тех пор, пока слуга не покинул комнату. И когда он снял шляпу и распахнул плащ, женщина задрожала и вскрикнула: это был ее сын — Наполеон!

Мать сильно испугалась за своего сына: однажды уже он бежал в 1815 году с острова Эльба. Теперь ей показалось, что он, опять сбежав, просит у нее место, где может спрятаться. Но от Наполеона веяло таким пронизывающим холодом, а на ее теплое приветствие отвечал он настолько безразлично, что в ее сердце сразу же закралось подозрение. А когда незнакомец медленно проговорил: «Пятого мая, восемьсот, двадцать один — сегодня!», то бедная женщина остолбенела. Сотрясаясь от ужаса, она продолжала в упор смотреть на него, но призрак начал пятиться назад и поспешно вышел, прикрыв за собой тяжелую портьеру. А когда мать пришла в себя и кинулась за ним, то в прихожей никого, кроме привратника не оказалось.

«Где тот человек, который только что вышел?» — спросила у него хозяйка. «Я его проводил к вашему величеству, дальше он не выходил. Я был здесь все время», — ответил ей слуга.

С тяжелым предчувствием женщина вернулась обратно в свои покои. И только спустя два месяца, в июле, она узнала, что ее сын, бывший император Франции — Наполеон Бонапарт скончался на острове Эльба именно в этот день, 5 мая 1821 года.

Существуют также научные и околонаучные слухи, которыми помимо мистики окутано имя французского императора. В английском издании «The Guardian» эндокринолог из США Роберт Гринблат достаточно любопытно охарактеризовал сексуальный портрет Наполеона. Он утверждал, что, якобы, Наполеон умер он не от рака, как утверждается официально, а от некоего гормонального заболевания, которое последнее время медленно превращало его из мужчины в женщину! Некоторые симптомы, которые появились у Наполеона за 12 лет до его смерти, говорят о том, что у него была так называемая «болезнь Золлингера-Эллисона», которая вызывает расстройство гормональной системы, и которая постепенно меняла пол Наполеона...

Летаргическое состояние Наполеона, трудности с мочеиспусканием во время осады Москвы, распухающие ноги перед Бородинским сражением, острые боли в желудке в Дрездене, невралгия и усталость в Лейпциге, апатия во время битвы при Ватерлоо — все это, — как утверждает Гринблат, — говорит о том, что император просто-напросто находился в процессе изменения пола. Также исследователь утверждает, что Наполеон все время полнел, а его фигура мало-помалу становилась очень похожей на женскую. После вскрытия Наполеона, у него были обнаружены не только язва желудка и камни в мочевом пузыре, но и очень толстый слой жировой ткани на всем теле. Ляжки у императора стали толстыми, кожа, нежная и очень белая, была полностью лишена волос, руки и ноги стали миниатюрными, у него стали полностью атрофированные половые органы, а грудь превратилась в мягкую и округлую.

Еще одно открытие, связанное с личностью императора, недавно сделали французские ученые, когда изучали эксгумированные останки Наполеона. Если это, конечно, соответствует истине, то после окончания исследований они заявили, что обнаружили в черепе Наполеона встроенный микрочип... Как было сообщено журналистам на пресс-конференции, где присутствовали представители 120 СМИ со всего мира, неизвестный предмет мог быть имплантом, который установили в черепе молодого Наполеона в время его похищения.

«Последствия этого открытия могут быть велики, — говорит автор сенсационного открытия доктор Андре Дюбуа, — так как истории пока неизвестны коронованные особы, которые бы становились жертвами инопланетных цивилизаций. В архивах уфологов упоминаются только простые смертные, не играющие в истории никакой роли. Теперь же есть доказательства о том, что инопланетяне, экспериментируя на Земле, влияли, и сегодня влияют на ее историю. Я был потрясен, когда обнаружил в крошечном выступе черепа Наполеона настоящий сверхсовременный микрочип!».

Изучение костей дало возможность предположить, что чип был установлен в молодые годы. Вернувшись в историю, ученые выяснили, что в молодости император однажды на несколько дней исчезал с глаз окружающих возрасте 25 лет, в 1792 году в июле. Тогда Наполеон утверждал, что был в плену, но ни в одном архиве об этом ничего нет. И поэтому сделан вывод, что он все-таки был похищен инопланетянами.

Кстати, именно с этого времени наблюдается его карьерный рост: уже в следующем году он назначается главой французской армии, где ему каким-то чудом удается подавить голод и разброд в армии, выиграть битву у итальянцев. А десять лет спустя Наполеон становится императором Франции, а его империя расширяется до огромных размеров. По мнению экспертов, Наполеон в своих кампаниях использовал такую стратегию, которая на сотни лет опережала свое время. Быть может, это чип так увеличивал его способности?

«К тому же, — продолжает предполагать Дюбуа, — устройство инопланетян плохо влияло на работу сердца. Может, этим можно объяснить привычку Наполеона держать все время руку за лацканом сюртука, у сердца?»...

Николай II:
стал жертвой рокового числа 17

Жизнь императора Николая II Александровича (6 мая 1868 — 17 июля 1918) полна всевозможными предсказаниями и пророчествами.

Будучи наследником престола, Николай в 1891 году отправился в кругосветное путешествие, которое закончилось в Японии, где 29 апреля на него было совершено покушение японским фанатиком. За несколько дней до этого, по воле случая, он встретился близ Киото с буддистским отшельником и предсказателем Теракуто. В воспоминаниях сопровождавшего Николая переводчика, маркиза Ито есть запись пророчества этого отшельника. Теракуто предсказал цесаревичу опасность для жизни: «Опасность витает над твоей главой, но смерть отступит, и трость будет сильнее меча, и трость засияет блеском». Через несколько дней «фанатик» слегка ранил его, ударил мечом по голове, а второй удар предотвратил своей тростью сопровождавший Цесаревича принц Георг. По возвращении в Санкт-Петербург, по распоряжению Александра III, эта трость была украшена множеством алмазов и, действительно, «воссияла».

В августе 1896 года, вскоре после коронации, Николай отправился с официальным визитом в Европу. В Англии произошла его первая встреча с астрологом Луисом Хамоном. Несколькими годами ранее «граф Луис Хамон», более известный как Кайро, «неожиданно» прославился благодаря потрясающему умению предсказывать будущее, специализируясь на известных людях. Не зная Николая II, он заочно предсказал следующее: «В течение своей жизни он часто будет иметь дело с опасностью ужасов войны и кровопролития; он сделает все от него зависящее, чтобы предотвратить это, но его судьба настолько глубоко связана с такими вещами, что его имя будет скреплено с двумя самыми кровавыми и проклятыми войнами, которые были когда-либо известны, и что в конце II войны он потеряет все, что он любил больше всего; его семья будет вырезана и сам он будет насильственно убит».

Пророчество так заинтересовало Николая II, что он не мог не приехать на встречу с пророком и после, как сообщают документальные сведения, наведывался к нему каждый раз, оказываясь в Европе. Он просил составлять «карту действий» и пытался корректировать свои поступки в жизни, как подскажет ему Кайро.

Есть и еще одно интересное предсказание. По легенде, в Гатчинском дворце случайно был найден запечатанный ларец, вскрыв который придворные обнаружили письмо с пророчествами монаха Авеля. В нем было сказано, что до 1917 года Николаю опасаться будет нечего — он может участвовать в любых войнах, вести любую жизнь, — убит не будет.

Помимо предсказаний, есть еще одна интересная мистическая особенность в жизни Николая II, о которой пишет в своей книге «Загадки жизни и смерти» Эдвард Радзиниский. Это — магия рокового для императора числа — 17. 17 октября — крушение поезда в Борках, когда он чудом остался жив. 17 января он столь неудачно первый раз показался русскому обществу. 17 октября 1905 года — конец самодержавия, в этот день он подпишет Манифест о первой русской конституции. 17 декабря — гибель Распутина. И 1917 год — конец его империи. В ночь на 17 июля — гибель его самого и семьи.

Николай Гоголь:
боялся быть похороненным заживо

Как известно, с именем Николая Васильевича Гоголя (20 марта 1809 — 21 февраля 1852) как при жизни, так и после его смерти связано много мистики и небылиц. Одной из самых ярких является легенда, согласно которой всю жизнь писатель боялся быть похороненным заживо, и появление «Вия» будто бы является косвенным подтверждением его опасений.

Опасения писателя не были придуманы потомками — они имеют документальное подтверждение. Дело все в том, что примерно с 1839 года у него начинается прогрессирующее расстройство здоровья. Находясь в Риме, Гоголь заболел малярией, и, судя по последствиям, болезнь поразила мозг писателя. С регулярной периодичностью у него начали случаться припадки и обмороки, что характерно для малярийного энцефалита. В 1845 году Гоголь писал сестре Лизе: «Тело мое дошло до страшных охлаждеваний: ни днем, ни ночью я ничем не мог согреться. Лицо мое все пожелтело, а руки распухли и почернели и были как лед, это пугало меня самого. Я боюсь, что в один момент я остыну полностью, и меня похоронят заживо, не заметив, что сердце еще бьется».

Ходило много слухов, впрочем, не лишенных оснований, и о «религиозном помешательстве» писателя, хотя в общепринятом понимании он не был глубоко верующим человеком. И не был аскетом. Болезнь, а с ней и общее «головное расстройство», подтолкнули писателя к «непрограммируемым» религиозным размышлениям. А новое окружение, в котором он оказался, усиливало и поддерживало их (согласно историческим документам, Гоголь вступил в секту «Мученики ада» и отдавал сектантам все заработанные деньги).

Несмотря на признаки депрессии и умопомрачения, он нашел в себе силы, чтобы отправиться в феврале 1848 года в Иерусалим к Гробу Господню. Однако поездка не принесла душевного облегчения. Он становится замкнутым, странным в общении, капризным и неопрятным в одежде. В то же время он создает самое странное свое произведение «Выбранные места», которое начинается зловеще-мистическими словами: «Находясь в полном присутствии памяти и здравого рассудка, излагаю здесь мою последнюю волю. Завещаю тела моего не погребать до тех пор, пока не покажутся явные признаки разложения... Упоминаю об этом потому, что уже во время самой болезни находили на меня минуты жизненного онемения, сердце и пульс переставали биться...». Эти строки в сочетании со страшными рассказами, последовавшими после вскрытия могилы писателя при перезахоронении его останков (о якобы поврежденной, исцарапанной обшивке крышки гроба, о неестественном, на боку и как бы скрюченном положении скелета писателя), и породили ужасные слухи о том, что Гоголя похоронили живым. Что он очнулся в гробу, под землей, и в отчаянии пытаясь выбраться, погиб от смертельного страха и удушья. Эта жуткая мистическая легенда, не имеет в своей основе никаких исторических доказательств. Но кто знает, как оно было на самом деле...

В июне 1931 года кладбище Свято-Данилова монастыря, где в 1852 году и был похоронен писатель, упразднили. Прах Гоголя и ряда других известных исторических персоналий по личному распоряжению Лазаря Кагановича перенесли на кладбище Новодевичьего монастыря. При перезахоронении праха Гоголя была выявлена еще одна мистическая особенность. На бок труп не перевернулся и обшивку гроба не исцарапал, но, как пишет профессор Владимир Лидину, который присутствовал на вскрытии могилы в своих воспоминаниях «Перенесение праха Гоголя»: «...Могилу вскрывали почти целый день. Она оказалась на значительно большей глубине, чем обычные захоронения, как будто ее кто-то нарочно пытался утащить в недра земли — глубина была такой, что лебедки и лестниц не хватало, чтобы дотянуться до гроба... Начав ее раскапывать, наткнулись на кирпичный склеп необычной прочности, но замурованного отверстия в нем не обнаружили; тогда стали раскапывать в поперечном направлении с таким расчетом, чтобы раскопка приходилась на восток, и только к вечеру был обнаружен еще боковой придел склепа, через который в основной склеп и был в свое время вдвинут гроб. Работа по вскрытию склепа затянулась. Начались уже сумерки, когда могила была, наконец, вскрыта. Верхние доски гроба прогнили, но боковые с сохранившейся фольгой, металлическими углами и ручками и частично уцелевшим голубовато-лиловым позументом были целы. Черепа в гробу не оказалось! Останки Гоголя начинались с шейных позвонков: весь остов скелета был заключен в хорошо сохранившийся сюртук табачного цвета; под сюртуком уцелело даже белье с костяными пуговицами; на ногах были башмаки... Башмаки были на очень высоких каблуках, приблизительно 4-5 сантиметров, это дает безусловное основание предполагать, что Гоголь был невысокого роста»\.

Когда и при каких обстоятельствах исчез череп Гоголя, остается загадкой. Одну из версий высказывает тот же Владимир Лидин: в 1909 году, когда при установке памятника Гоголю на Пречистенском бульваре в Москве производилась реставрация могилы Гоголя, один из известнейших коллекционеров Москвы и России Бахрушин, он же основатель Театрального музея, подговорил будто бы монахов Свято-Данилова монастыря за большие деньги добыть для него череп Гоголя, поскольку, по поверьям, он обладает магической силой. Так это или нет — история умалчивает.

Николай Лобачевский:
искал касту прародителей человечества

Казалось бы, в жизни ученого такого уровня не может быть ничего сверхъестественного, всему у него должно найтись математическое объяснение... Но великие не были бы великими, если бы в их жизни не было странностей.

Николай Иванович Лобачевский (20 ноября 1792 — 12 февраля 1856) еще в детстве узнал одну легенду — на окраине Нижнего Новгорода, где он проживал с родителями, несколько лет назад, якобы, местная церковь сгинула в один миг под землей, вместе с попом и всеми прихожанами. На месте загадочного исчезновения церкви образовался овраг.

Все это врезалось в память Николая настолько, что став известным ученым, он занялся изучением случаев пропажи людей и целых деревень. Он даже вел архив собранных свидетельств древнерусских хроник, где часто встречаются упоминания о провалившихся под землю городов и целых народов.

Лобачевский полагал, что внутри земли существует каста подземных жителей, которые иногда выходят на поверхность. Более того, «подземщики», согласно теории ученого, были прародителями человечества.

Исследования гуру геометрии и математики закончились ничем...

Николай Чернышевский: окружающие предметы бесследно исчезали

Другой не менее известный ученый, философ-утопист, публицист и писатель Николай Гаврилович Чернышевский (12 июля 1828 — 17 октября 1889) в своих записках упоминает об аномалиях, которые происходили в его жизни.

Будучи студентом Петербургского университета и проживая в комнате большой съемной квартиры, Чернышевский заметил удивительную особенность: в его жилище бесследно исчезали вещи. Причем ни о каком грабеже речь не шла: предметы буквально растворялись даже при закрытых дверях. К примеру, он нарочно, ложась спать, клал под подушку перо или платок, а наутро (и никогда позднее) его не обнаруживал. Все это забавляло студента, он рассказывал о таинственных исчезновениях друзьям, и все они списывали это на мистику города на Неве и предполагали, что так подшучивает над ним дух кого-нибудь из прежних жильцов комнаты...

Однако уже повзрослев, Николай Гаврилович, пришел к выводам, что телепортация предметов в неизвестном направлении связана... с ним лично. В 1864 Чернышевский был приговорен к 7 годам каторги и, отбывая наказание, обнаружил, что мистические происшествия в его жизни продолжаются.

Олег Даль: астролог Павел Глоба увидел скорую кончину

Когда эзотерики начинают рассуждать об актерских проклятьях и суевериях, всегда вспоминают про популярного актера Олега Ивановича Даля (25 мая 1941— 3 марта 1981).

Всем хорошо известен прекрасный фильм «Земля Санникова». По сценарию Крестовский, которого играл в фильме Даль, должен был погибнуть по окончании экспедиции, на обратном пути, спасая своих товарищей. Как только начались съемки, артиста вдруг охватил непередаваемый ужас. Профессиональный актер умеет смеяться на сцене, несмотря на все внутренние житейские переживания, но Олег Даль, имевший огромный опыт участия в съемках, не смог пережить чувство страха и тревоги, появившееся у него после проклятия шамана, произнесенного в фильме: «Чужие люди должны умереть!». С самого начала Даль прекрасно сыграл эпизоды, предшествующие экспедиции, а затем эпизод гибели Крестовского, снятый на льдах Ботанического залива.

Но вот пришло время основных съемок. Действие происходило на Земле Санникова. Для этого был выбран Нальчик. И тогда-то Олег Даль не смог преодолеть состояние непривычного для него страха. Он попытался бороться с наваждением самым традиционным российским способом — алкоголем. И проиграл в этом поединке.

Каждый вечер, возвращаясь со съемок, он клялся себе в том, что бросит пить, начнет играть. Но наступало утро, и вновь начинало действовать проклятие шамана, погружавшее его в беспробудное пьянство.

График съемок ломался. Сценарист и операторы не знали, что делать. Предлагалось даже изменить ход действия и убить Крестовского в самом начале фильма, до его появления на Земле Санникова. В Нальчик срочно приехал Григорий Чухрай, инициатор создания картины и руководитель творческого объединения, снимавшего ее. Он ознакомился со сложившейся ситуацией, увидел, в каком состоянии находится актер, и отдал категорическое распоряжение: «Отправляйте в Москву!».

Фильм доделывался без актера, игравшего одного из главных героев. Вместо Даля со спины и без слов снимали редактора фильма Вячеслава Хотулева. А что же Даль? Он прожил после выхода фильма еще 8 лет, но уже ни разу не снимался в картинах на «Мосфильме». Слова: «Чужие люди должны умереть!», как рассказывали знакомые актера, преследовали его всю его оставшуюся жизнь. Артисты, игравшие с ним, в один голос говорили, что он был гениальным актером, но работать с таким партнером было тяжело. Если ему казалось, что все пошло не так, он впадал в депрессию и просто сбегал.

За год до смерти Олег пошел к астрологу (им был молодой и не известный тогда Павел Глоба) и задал ему вопрос о смерти. Как рассказывает Глоба, Даль заранее предупредил его: «Если вы там что-то увидите, то лучше мне не говорите». Астрологу пришлось смолчать о приближающейся к известному артисту кончине.

Мысль о смерти преследовала киноактера весь последний год его жизни. Наконец, Даль не выдержал и поехал в Киев. Все думали, что он отправился на кинопробы, но своему другу Олег сказал: «Приехал умирать к тебе». Его нашли утром в номере гостиницы. Персонал, взломавший дверь, говорит, что выражение лица у актера было такое, будто исполнилась его заветная мечта.

Павел I: тайны Михайловского замка в Петербурге

Павел Петрович (20 сентября 1754 — 12 марта 1801), в будущем император всероссийский, родился в 1754 году в Летнем дворце императрицы Елизаветы Петровны, построенном архитектором Растрелли на берегу Мойки, напротив Летнего сада (к которому, к слову, до сих пор толпами валят туристы). Однажды, любуясь роскошным творением гениального зодчего, впав в нечаянную сентиментальность, Павел проронил: «Хочу умереть там, где родился». Судьба, играючи, приняла его вызов.

После смерти Екатерины II, опасаясь жить в Зимнем дворце, где ему постоянно мерещились заговоры, в результате одного из которых был низложен и злодейски убит его отец император Петр III, Павел приказывает разобрать деревянный Летний дворец и на его месте начать строительство новой резиденции — Михайловского замка.

Однажды вечером Павел в сопровождении своего друга князя Куракина шел по улицам Петербурга. Вдруг впереди показался человек, завернутый в широкий плащ. Казалось, он поджидал путников и, когда те приблизились, пошел рядом с ними. Павел вздрогнул и обратился к Куракину: «С нами кто-то идет рядом». Однако тот никого не видел и пытался убедить в этом великого князя. Вдруг призрак заговорил: «Павел! Бедный Павел! Я тот, кто принимает в тебе участие». Затем призрак пошел впереди путников, как бы ведя их за собой. Подойдя к середине площади, он указал место будущему памятнику. «Прощай, Павел, — проговорил призрак, — ты снова увидишь меня здесь». И когда, уходя, он приподнял шляпу, Павел с ужасом разглядел лицо Петра.

5 ноября 1796 года Павел находился в Гатчине. Весь день что-то тревожило и беспокоило его суеверное воображение. Лег в постель рано и несколько раз про-

сыпался. Ему неоднократно снился один и тот же сон. Во сне какая-то незримая и сверхъестественная сила возносит его кверху. В смятении Павел просыпается, вытирает холодный пот, засыпает. И все повторяется сначала. На следующий день, за обедом, Павел рассказывает сон домашним. Все находят его многозначительным, однако, зная о странностях характера великого князя, растолковывать его ночные видения остерегаются. Павел уже не может скрыть тревожного состояния, которое скоро передается окружающим. Тревога нарастает. Наконец в три часа из Петербурга прискакал граф Зубов: «С Екатериной случился апоплексический удар».

На следующий день после вступления Павла на престол в Зимнем дворце был отслужен благодарственный молебен. К ужасу присутствующих, в гробовой тишине протодьякон провозгласил: «Благочестивейшему самодержавнейшему великому государю нашему императору Александру Павловичу...» — и тут только заметил роковую ошибку. Голос его оборвался. Тишина стала зловещей. Павел стремительно подошел к нему: «Сомневаюсь, отец Иван, чтобы ты дожил до торжественного поминания императора Александра». В ту же ночь, вернувшись домой полуживой от страха, протодьякон умирает.

В 1797 году приступили к строительству Михайловского замка. О том, что этому предшествовало, рассказывает расхожая легенда. Часовому, стоявшему в карауле у старого Летнего дворца Елизаветы Петровны, явился в сиянии юноша, назвавшийся архангелом Михаилом. Он велел перепуганному солдату идти к императору и сказать ему, что дворец должен быть разрушен и на его месте построен храм во имя архистратига Михаила. Солдат донес о видении начальству, и когда об этом доложили императору, тот будто бы сказал: «Мне уже известно о желании архангела Михаила. Воля его будет исполнена».

Еще через год, когда строительство замка было в самом разгаре, к Павлу, как рассказывает другая легенда, пробрался старик в монашеской рясе, с красивым лицом, длинной седой бородой и с приветливым взглядом. Императрица Мария Федоровна в то время в очередной раз собиралась стать матерью. «Супруга твоя, — после полученного разрешения заговорил незнакомец, — родит тебе сына. Ты назовешь его Михаилом. Этим же именем святого архангела ты наречешь дворец, который построишь на месте своего рождения. И запомни слова мои: «Дому твоему подобаетъ святыня господня въ долготу дней». И тут же таинственный гость исчез. Через несколько дней царица разрешилась от бремени сыном, которому по воле императора было дано имя Михаил. Тогда же Павел приказал архитектору Бренне укрепить на фронтоне главного фасада строящегося дворца сказанный таинственным монахом библейский текст. Кстати, это изречение в свое время было заготовлено для украшения одного из фронтонов Исаакиевского собора, и факт его использования для иных целей современники расценивали как дурной знак. Строительство замка продолжалось практически все царствование Павла Петровича.

В самом его конце, накануне Рождества, по городу распространились зловещие слухи о некоей юродивой со Смоленского кладбища, которая пророчила императору Павлу Петровичу столько лет жизни, сколько букв в изречении над главным фасадом Михайловского замка. Выходило — 47. Павел родился в 1754-м. Сорок седьмой год его жизни выпадает на 1801 год. Буквально весь Петербург занимался мистическими подсчетами. Цифра 47 вызывала неподдельный ужас. Оказывается, если сосчитать количество дней от 20 сентября — даты рождения цесаревича — до вступления его на престол 6 ноября, то и тут окажется ровно столько же — 47.

9 марта ночью Павел просыпается от мучительного сна. Ему снилось, будто на него надевают слишком узкую одежду, которая его душит.

10-го после ужина, как рассказывает еще одна легенда, Павел подошел к зеркалу, имевшему случайный недостаток — оно искривляло изображения. «Посмотрите, какое смешное зеркало, — криво усмехнулся император, — я вижу себя в нем с шеей на сторону». Около 10 часов вечера Павел ушел к себе. Рассказывают, что вдруг он стал задумчив, побледнел и вместо обыкновенного прощания сказал: «Чему быть, того не миновать».

Петр Чайковский:
написал симфонию смерти

В жизни Петра Ильича Чайковского (25 апреля 1840 — 25 октября 1893), считающегося одним из величайших композиторов в истории музыки, автора более 80 произведений, все из которых стали классикой, было немало мистического.

Весной 1877 года Петр Ильич получил письмо выпускницы Московской консерватории Антонины Ивановны Милюковой, в котором она признавалась в страстной и вечной любви к композитору. Чайковскому это письмо показалось «таким искренним, таким теплым», что он решился ответить своей поклоннице. Впервые они встретились 20 мая, а уже 6 июля поженились. Многие потом говорили, что девушка использовала любовную магию, чтобы покорить сердце своего кумира... В момент свадьбы жениху было 37, а невесте всего 17 лет от роду. Когда пара приехала на венчание в церковь, то случилось дурное предзнаменование — забыли взять розовый атлас под ноги, а потому молодым пришлось подстелить на пол шелковый платок. Примета оказалась пророческой: уже через два с половиной месяца этот брак фактически распался.

Поняв, что супружеская кабала для него невыносима, Чайковский попытался покончить жизнь самоубийством: в конце сентября он вошел по грудь в Москву-реку, надеясь схватить пневмонию и умереть, но ледяная ванна не имела никаких последствий. Через несколько дней он просто сбежал от жены в Петербург, а оттуда отправился в путешествие за границу.

В течение многих лет Петр Ильич безуспешно пытался получить развод, называя в своих письмах жену не иначе как «мещанка», «гадина», «чудовище». Однако Антонина Ивановна наотрез отказалась разводиться и потому сполна испила чашу обид и унижений. В последующие годы этой женщине была уготована поистине страшная судьба: она вступила в гражданский брак и родила троих внебрачных детей, которых отдала в Воспитательный дом, где они все и умерли. На похоронах Чайковского она появилась с венком, на котором было написано «От боготворившей супруги». А через три года после этого печального события вдова великого композитора попала в лечебницу для душевнобольных, где тихо скончалась в 1917 году.

Официальная версия смерти Чайковского выглядит так: возвращаясь из театра, где он дирижировал свою знаменитую «Шестую симфонию», композитор зашел в модный ресторан на Невском проспекте, поел макарон, после чего попросил у официанта стакан воды. Кипяченой воды якобы не нашлось, и Петр Ильич выпил стакан сырой воды. Он сделал всего один глоток, но этого хватило, чтобы почувствовать себя плохо и через несколько дней умереть от холеры.

Мистики же считают, что отравление тут ни при чем, а разгадка страшной тайны содержится в последнем музыкальном произведении Чайковского. Шестую симфонию считают высшим проявлением пессимизма — своеобразным признанием торжества смерти над жизнью. Так, в ее первой части воспроизведено звучание православной панихиды, а в третьей части ритмически и мелодически зашифрован пасхальный тропарь «Христос воскресе из мертвых». Сам Чайковский признавался, что во время работы над Патетической он испытывал особое состояние радости, и при этом сохранилась надпись его рукой в подготовительных записках: «Финал — смерть — результат разрушения». Выходит, это произведение написано о смерти? Не менее символично и то, что Чайковский посвятил его своему племяннику — Владимиру Давыдову, которого композитор объявил наследником основной части своего имущества. Может быть, это простое совпадение, но человек, которому посвящена Шестая симфония, впоследствии тоже покончил жизнь самоубийством.

Пьер Огюст Ренуар:
видел лица людей до их появления

Французский живописец, график и скульптор, один из основных представителей импрессионизма, Пьер Огюст Ренуар (25 февраля 1841 — 2 декабря 1919) прославился тем, что люди, лица которых он рисовал, действительно появлялись в его жизни. При этом сам он утверждал, что видения приходили случайно, он не видел их во сне, не представлял черты лица...

Так, ровно за 30 лет до того, как он встретил юную портниху Алин Шариго, с которой закрутился бурный роман, закончившийся свадьбой, художник нарисовал несколько его портретов. Венера Милосская (запечатленная и на вазах, и на полотнах) с фотографической точностью похожа на Алин. Только свадьба состоялась в 1890 году, а ее образ художник создал в 1860-м.

Много раз Ренуар рисовал портреты своих детей задолго до появления их на свет! Он рисовал разных детей, и много лет спустя родители «всамделишных» детишек говорили: «Не правда ли, вылитый Ренуар?».

На фарфоровых тарелках, которые художник раскрашивал и продавал, многие последующие владельцы узнавали себя, о чем неоднократно сообщали автору. Огюст Ренуар, создавая свои миры, населял их рожденными его творческой фантазией женщинами, детьми, мужчинами. Проходили годы, и они неожиданно встречались в его земной жизни.

Ричард Вагнер: по мнению специалистов, сам был чертом

Вся жизнь великого композитора Ричарда Вагнера (22 мая 1813 — 13 февраля 1883) был связана с мистическим числом 13. Имя Ричард Вагнер включает в себя понятие «чертова дюжина». Родился он в 1813 году. Написал 13 опер. 13 сентября 1837 года стал дирижером симфонического оркестра. В 1882 году написал окончание мистерии «Парсифаль». Умер Вагнер 13 февраля 1883 года. Всю свою жизнь композитор панически боялся числа 13, считая, что это число красной нитью проходит через всю его жизнь. Он категорически запрещал устраивать премьеры своих произведений 13 числа, а сам тринадцатого числа каждого месяца никогда не выходил из дома.

Спустя многие годы после смерти композитора эзотерики предположили, что «чертовая дюжина» преследовала Вагнера потому, как сам он был… чертом или дьяволом! Негативное влияние музыки композитора на живых существ в наши дни доказано учеными. Под его оперы плохо доятся коровы, вянут цветы. Люди, долго слушающие Вагнера, становятся нервозными, впадают в депрессию, некоторые сходят с ума.

Многие современники Вагнера стали по-настоящему безумными. Яркий тому пример — король Баварии Людвиг II, одержимый музыкой Вагнера. Да-да, именно он построил знаменитый замок Нойшванштайн, расписав все его стены сценами из опер, а потом запирался в главном зале и разговаривал с Моцартом, Бетховеном и другими умершими людьми… За пристрастие к Вагнеру он был убит своими придворными.

Вспомните дневники Ницше, человека, болевшего этой музыкой. Он не выдержал и сошел с ума. Одна из его поздних книг — «Der Fall Wagner» — полна отчаянья. Уже безумный, он писал абсурдные письма жене Вагнера, подписываясь как «Вакх».

Многие магические ритуалы современные мистики рекомендуют проводить под музыку именно этого композитора. Считается, если слушать ее непрерывно несколько часов — можно ввести себя в состояние транса, и вы услышите невидимый оркестр, будто играющий «Полет Валькирии» специально для вас. Может, это на самом деле музыка черта?..

Рональд Рейган: был уверен, что жену подменили инопланетяне

Один из выдающихся политиков XX века, 40-й американский президент Рональд Уилсон Рейган (6 февраля 1911 — 5 июня 2004) вывел Штаты на лидирующие позиции в мире. Человек-легенда, который пробуждает несомненный интерес к своей личности. В том числе и мистическими фактами.

Мать будущего президента США Нэлли чуть не умерла во время родов, и врачи едва спасли две жизни и запретили Нэлли в будущем иметь детей. Впоследствии она вспоминала, что когда потеряла сознание от боли во время родов, к ней явилась Богородица, успокоила ее, обещав, что все будет хорошо и сказала, что она родила великого человека, которого ждет невероятная судьба.

Юный Рональд носил очки. Однажды, когда он уже ходил в школу, у него было страшное видение: на спортивных занятиях мяч попадает ему в лицо, выбивает стекла, она ранят глаза, которые вытекают полностью. Перепуганный мальчуган принял волевое решение — навсегда выбросить очки и никогда ими больше не пользоваться. Такое решение создавало для него не только огромные бытовые трудности, но и профессиональные проблемы. Но он был непреклонен. Через много десятилетий, когда в Америке появились первые контактные линзы, Рейган стал одним из первых, кто воспользовался этой новинкой медицины.

15-летним пареньком Рональд подрабатывал спасателем на городском пляже Диксона. Он записывал имена всех, кто тонул — в итоге получилось, что он спас 77 человек. Но самое невероятное заключается в том, что имена 71 спасенного начинались на букву «А».

В 1940-м Рейган женился, его избранницей стала 24-летняя голливудская звезда Джейн. Во время свадебной церемонии в помещение с лаем забежали дворовые собаки. Кто-то сказал: «Примета плохая, будут лаяться всю жизнь как собаки, и разойдутся». Так и случилось — брак распался через 9 лет.

30 марта 1981 года на жизнь Рейгана покушались. Президент получил тяжелое огнестрельное ранение в легкое. Нападавший Джон Хинкли, работавший диск-жокеем, страдал психическим расстройством. На суде он заявил сразу три причины своего поступка. Во-первых, он лично негативно относится к политике Рональда, во-вторых, хотел произвести впечатление на даму сердца, ну а в-третьих, ему казалось, что Рейган не от мира сего, потому что когда он долго смотрит на фотографию президента, ему кажется, что его зрачки превращаются в змеино-кошачьи.

В конце жизни Рейган страдал болезнью Альцгеймера и практически не узнавал свою любимую жену. При этом однажды он лично позвонил редактору одной желтой газеты и, утверждая, что его настоящую жену похитили инопланетяне, а вместо нее подсунули незнакомую леди, просил провести расследование и разоблачить заговорщиков. На эту тему в начале 2000-х вышло много публикаций в СМИ, но всерьез сенсацию, растиражированную бульварным изданием, никто не воспринял.

Рэй Брэдбери:
с помощью магии искал клады

Американский писатель-фантаст Рэймонд Дуглас Брэдбери (22 августа 1920 — 5 июня 2012), известный по антиутопии «451 градус по Фаренгейту», циклу рассказов «Марсианские хроники» и частично автобиографическому роману «Вино из одуванчиков», как и положено фантасту, верил в инопланетян и надеялся, что рано или поздно гости из космоса вступят с ним в контакт.

Такой встречи не состоялось. Однако с кем встречался писатель очень часто — так это со всевозможными колдунами. Он искренне верил в магию и интересовался всевозможными ритуалами. Причем, — как признавался сам писатель, — ему не так важен был результат ритуала, как его суть. «Меня не особо беспокоило, смогу ли я выиграть в лотерею или получить наследство, если наколдую себе денег, — писал он. — Но мне интересно было изучить, какие ингредиенты кладутся в магическую чашу, из чего варится волшебное зелье и как обычные компоненты, объединяясь, вдруг обретают силу, становятся магическими».

Об успешности или безуспешности ритуалов писателя можно лишь догадываться. Но один факт доподлинно известен историкам: в конце 80-х годов отдыхая у друзей на вилле, расположенной в городке Уокиган на берегу озера Мичиган, Рэй с другом провел ритуал по «притягиваю клада», а после, как учат магические секреты, поехал со специальным прибором искать зарытые в земле монеты. Несмотря на то, что все делалось ночью, при свете фонарей (как учит магия), друзьям улыбнулась удача — они нашли схрон, в котором находилось несколько килограммов (!) ювелирных украшений.

Сергей Дягилев:
читал судьбу по рукам балерин

Была у известного русского театрального деятеля, антрепренера, организатора «Русских сезонов» в Париже и труппы «Русский балет» Сергея Павловича Дягилева (19 марта 1872 — 19 августа 1929) одна слабость, о которой вспоминали многие артисты, работавшие с ним.

Сергей Павлович увлекался... «чтением по рукам». Якобы, его мачеха (мать умерла через несколько месяцев после родов) обучила маленького Сергея ремеслу, которым сама владела в совершенстве, — гаданию по рукам. Дягилев быстро освоил мистическое искусство и стал, как бы его назвали в наши дни, практикующим хиромантом. На этом деньги он не зарабатывал — гадал исключительно из дружеских побуждений своим друзьям и знакомым.

Была у него и одна «особенность»: прежде, чем принять на работу очередную балерину, он обязательно просил ее показать левую ручку — ладонью вверх. Если линия жизни была короткой, линия здоровье пересекалась многочисленными крестами, а линия любви предвещала много романов и детей, шансов получить работу, несмотря на все заслуги в профессиональной сфере, у нее не было. Дягилев отдавал предпочтение артистам, линии на руках которых обещали несчастную любовь и крепкое здоровье...

Сергей Есенин:
выпивая, слышал голоса с того света

Холодным зимним утром в пятом номере гостиницы «Интернационал» в Петербурге был обнаружен повешенный на трубе центрального отопления мужчина. Им оказался известный русский поэт Сергей Александрович Есенин (21 сентября 1895 — 28 декабря 1925).

Друзья и знакомые поэта сходятся во мнении, что алкоголизм Есенина и стал причиной его преждевременного ухода «в ту сторону, где тишь и благодать». Сам поэт, отвечая 5 декабря 1925 года на вопросы при заполнении амбулаторной карты, в графе «Алкоголь» ответил: «Много, с 24 лет». Там же рукой лечащего врача безжалостно выведено: «Delirium tremens. Белая горячка, halluc. (галлюцинации)». Позднее доктор пояснил: пациент вел себя неадекватно и регулярно жаловался на то, что слышит голоса. «Могу идти по улице по своим делам и услышать, как то-то говорит со мной, — сообщил Есенин лечащему врачу. — Оборачиваюсь — никого. Прислушиваюсь и начинаю узнавать голоса покинувших этот свет друзей и родственников».

По словам поэта, голоса он слышал исключительно когда был нетрезв, и громче всего они звучали в его голове, когда после бурных пьянок он оказывался один дома — они звучали монотонно и так громко, что он не мог заснуть. Естественно, официальная медицина не поверила в то, что умершие нашли себе в Есенине контактера для связи с миром живых, и пытались лечить его от белой горячки...

Сергей Королев:
завещал отправить свой прах к ангелам

Сергей Павлович Королев (12 января 1907 — 14 января 1966) — авиаконструктор, который в области космической техники и военного вооружения был первой величиной своего времени, без участия которого не обошелся первый запуск искусственного спутника Земли.

В 1924 году Королев поступил в Киевский политехнический институт по профилю авиационной техники. Во время учебы с ним произошел случай, который он запомнил на всю жизнь и позднее описал в своих мемуарах (записи до сих пор хранятся в музее Космонавтики). Однажды поздно вечером он возвращался домой, когда его окружили четверо парней высокого роста. В руках у одного мелькнул нож, у другого кастет. У студента потребовали деньги, шапку и куртку, в противном случае обещали «прирезать прямо на месте». Сергей зажмурился, приготовившись к тому, что его будут бить, но... ничего не произошло. Когда он открыл глаза — хулиганов рядом не было, все его вещи остались нетронутыми.

Спустя годы Королев участвовал в испытании легкомоторного самолета. Во время экспериментального полета что-то пошло не так — самолет стал падать. Ученый закрыл глаза и, став читать молитву, приготовился к самому худшему. Как впоследствии рассказывал пилот, произошло чудо: ни с того ни с сего самолет вернулся на курс, и его удалось успешно посадить.

Известно, что несколько лет он провел в тюрьме по сфабрикованным обвинениям. В один из дней он не поделил что-то с одним из отбывающих срок воров, который пригрозил ему: «Ну, берегись, ночью приду тебя убивать». Всю ночь Сергей Павлович не сомкнул глаз — молился. Никто не пришел. А утром стало известно, что угрожавший ему покончил с собой, повесившись на проволоке.

Сам известный конструктор уже в возрасте говорил, что мистические случайности в его жизни имеют только одно объяснение — слишком хорош ангел-хранитель, который о нем заботится. Кстати, в своем завещании Королев написал, что желает, чтобы прах его отправили на ракете на Луну и там развеяли. Последняя просьба так и не была выполнена. Может, из-за последней приписки в завещании: «Так я буду ближе к ангелам и богу».

Сергей Прокофьев:
дар открылся после несчастного случая

Пианист, дирижер и композитор Сергей Сергеевич Прокофьев (11 апреля 1891 — 5 марта 1953) вполне мог погибнуть в результате несчастного случая, но он чудом выжил и открыл в себе дар, о котором знали немногие...

Когда юному Сергею было то ли 7, то ли 8 лет, родители на лето отправили его на родину отца — в село Красное Донецкой области Украины. Там мальчуган беззаботно отдыхал и набирался сил на свежем воздухе, пока однажды чуть было не случилась трагедия. На окраине села была заброшенная хозяйственная постройка (начали строить ангары, а потом отчего-то забросили), где дети обожали играть. В один из дней Сергей изучал бетонно-деревянную конструкцию, но неожиданно не устоял на ногах и сорвался с недостроенного второго этажа. Падая, зацепился за железное перекрытие сделанной из старой железнодорожной шпалы и оно, полетев за ним, ударило сверху по голове.

Сколько Сергей был без сознания — никто не знает. Как он вспоминал, очнулся, когда на улице было уже темно — а значит, его разум покидал тело минимум часа на три. На голове осталась шишка, напоминавшая о падении, которая вскоре прошла. А еще через какое-то время будущий композитор почувствовал непреодолимую тягу писать музыку. Надо сказать, он был из интеллигентной семьи, классические произведения всегда звучали в доме, он знал всех именитых создателей музыки, но желание самому пополнить их ряды было так велико, что он взял бумагу и стал записывать ноты. Как результат — в возрасте 9 лет он написал уже две оперы — «Великан» и «На пустынных островах», его судьба была предрешена.

Но только лишь даром композитора то падение в старом доме не закончилось. Прокофьев вдруг обнаружил, что знает все шахматные фигуры, умеет играть в шахматы и готов сразиться с кем угодно. Каково же было удивление друзей отца, когда десятилетний парнишка обыграл их! Страсть к шахматам композитор пронес через всю жизнь. Иногда он участвовал в любительских матчах и однажды даже победил в сеансе будущего чемпиона мира по шахматам Хосе Рауль Капабланку.

С мистикой связана и смерть композитора. В светских кругах ходили слухи о том, что одна из поклонниц Прокофьева, увлекающаяся магией, однажды на концерте сделала ему необычное предсказание. «Твоя жизнь зависит от Сталина, — сказала она. — Молись за его здоровье, чтобы долго жил».

Иосиф Сталин и Сергей Прокофьев умерли в один день. Поэтому похоронами Прокофьева заниматься было некому, и погребение с большим трудом организовал Союз композиторов.

Сергей Эйзенштейн: диагностировал состояние здоровья по ауре

С мистикой известный режиссер, теоретик киноискусства Сергей Михайлович Эйзенштейн (10 января 1898 — 11 февраля 1948) столкнулся еще в далеком детстве. Есть сведения, что его мать, Юлия Ивановна, была известной на всю Ригу колдуньей. В своей автобиографии сам Эйзенштейн описывает всех своих родственников, а про мать пишет весьма скромно: «Не из рабочей семьи, помогала людям, а потому ни в чем не нуждалась, да приданое имела неплохое». Говорили, что Юлия Петровна могла излечить любую хворь, а также помочь в решении любой проблемы — и мужа загулявшего вернуть, и с урожаем на огороде помочь, и подсказать, как разбогатеть. Приезжали к ней даже из соседних стран.

Маленькому Сергею на сеансах присутствовать никогда не позволяли, но однажды он буквально «замучил» родительницу просьбами показать «какое-нибудь чудо». Как он вспоминал, она попросила его закрыть глаза, после чего «что-то сказала, что-то пошептала, щелкнула пальцам» и он с закрытыми глазами увидел «что-то подобное радуге, цветной калейдоскоп». На вопрос что это было, мать ответила — «подрастешь — узнаешь».

Спустя годы Эйзенштейн гостил за границей и увидел в одном из магических салонов, которые тогда были популярны в Европе, необычную услугу — маги предлагали посмотреть на свою ауру. За небольшую плату специальный прибор светил на человека и на стене появлялась его цветная тень. Это и называлось «аурой». Если тень имела благородные цвета и не была порвана, здоровью ничего не угрожало, а если имело прорехи и агрессивные цвета — в пору было спешить к целителю.

Поговаривают, что к тому времени уже известный режиссер не пожалел все имеющиеся у него деньги, чтобы приобрести его, а после, уже дома, активно использовал чудо техники XX века для диагностирования своего состояния здоровья.

Сергей Михайлович настолько верил в существование ауры человека и в то, что ее можно заснять, что даже отобразил свои убеждения в творчестве. Например, в одном из его фильмов тело убитого матроса лежит на берегу моря, а над ним мерцает и переливается отраженное в воде солнце, принимая причудливые формы, напоминающие те самые, что выдавал его аппарат, высвечивающий ауру.

Стив Джобс:
строил ковчег на случай конца света

Американский предприниматель, получивший широкое признание в качестве пионера эры IT-технологий, один из создателей компании Apple, провидец, уверенно проложивший направления к будущему вычислительной техники и кумир современной молодежи, которого называли не иначе как «мессией в джинсах» и «иконой», Стивен Пол Джобс (24 февраля 1955 — 5 октября 2011), конечной целью личного земного бытия считал создание искусственного интеллекта. Причем, не примитивного, воплощенного в последние модели бытовых компьютеров, а в устройствах, способных к непринужденному, на равных, контакту с человеком. Джобс полагал, что рано или поздно нас будут окружать только роботы, общаться с которыми можно будет на интуитивном уровне...

Благодаря уникальным разработкам, сделанным компанией Apple еще при жизни Джобса, ходили слухи, что то ли сам Стив вышел на контакт с иным разумом, то ли был похищен инопланетянами, которые «запрограммировали» его на создание уникальных IT-разработок. Иначе как объяснить те чудеса мира техники, которые появились с его легкой руки... Более того, после смерти Джобса сразу заговорили о том, что в своих разработках искусственного разума он зашел слишком далеко, а потому его было решено убрать как человека, который «слишком много знал». В пользу этого говорит и то, что все разработки, связанные с интеллектуальными роботами после его кончины засекречены. Как же быть с официальным диагнозом смерти — раком поджелудочной железы? Биографы Джобса, коих теперь на планете насчитывается несколько сотен, полагают, что рак, убивший его, был вызван искусственно — методом вредительски назначаемой укрепляющей лекарственной и витаминозной терапии.

Впрочем, не будем перечить официальным данным полиции и приведем еще один факт, с которым поспорить нельзя. Стив Джобс предполагал, что конец света неизбежен, и еще 10 лет назад начал к нему готовиться. Как? Подобно Ною строить ковчег. Конечно, не самостоятельно, а на свои деньги.

Ковчег строился на базе яхты. В ее основе — уникальные разработки ученых, многие — не имеющие аналогов в мире. Внутри — в трюмах все было оборудовано для того, чтобы выжить в любых условиях — и оказавших посреди океана, и будучи закованными во льды. Своя станция, вырабатывающая электричество, свой парник для выращивания свежих овощей. Об эстетической стороне вопроса Джобс также позаботился: в качестве дизайнера он пригласил своего друга Филиппа Старка, который постарался на славу, чтобы современный ковчег выглядел весьма элегантно.

Увы, при жизни достроить яхту-ковчег не успели, готова она были лишь через год после смерти заказчика и перешла по завещанию его детям. Яхта охраняется — подойти к ней не могут даже самые отважные папарацци, она окружена ореолом таинственности. Известно лишь, что на ее оборудование Джобс потратил чуть больше 200 миллионов долларов.

Что же касаемо конца света... Однажды в интервью Стив заявил, что допускает войну роботов и технологий, если техника выйдет из-под контроля человечества. И если все пойдет по худшему сценарию, то цивилизация прекратит свое существование уже скоро, в период с 2020 по 2050 годы. Причем, Джобс уверял, что это — всего лишь математический расчет, как буддист он верил, что никакого конца света не будет.

Джобс придерживался буддистских воззрений. Эту религию бизнесмен принял в начале 1970-х годов во время своей поездки в Индию, в которую отправился после ухода из гуманитарного колледжа в США. На родину будущий Джобс вернулся уже с бритой головой и в традиционных индийских одеждах. Кстати, многие буддисты сегодня считают, что Стив Джобс на самом деле не умер, а перенес реинкарнацию, и теперь основатель Apple перевоплотился в воина-философа и вскоре даст о себе знать.

Ульям Шекспир: загадка для потомков

Еще в конце XVIII века критики, изучающие наследие Шекспира (23 апреля 1564 — 23 апреля 1616) высказали мысль, что сумма произведений, известных под этой фамилией, не может принадлежать бездарному, малограмотному актеру театра «Глобус», который вдруг решил заявить о себе, как об авторе пьес. К середине XIX века сомнения эти усугубились, когда англичанка Делия Бэкон в 1857 году написала книгу «Разоблаченная философия пьес Шекспира», где впервые сделала очень важное и глубокое предположение, что подлинным автором пьес Шекспира был целый кружок единомышленников во главе с Фрэнсисом Бэконом — знаменитым английским философом и литератором.

Тот кружок, который подразумевала писательница, — это отнюдь не собрание великосветских бездельников, потешавших публику остротами литературной мистификации, — это высоко паривший в духовных сферах орденский круг английских розенкрейцеров (теологическое и тайное мистическое общество). Зачем это нужно? Очень просто. В те времена театр был чрезвычайно популярен, и то, что давалось в театре, часто привлекало злободневностью, позволяло влиять на сознание людей. И тогда в театральные пьесы авторы стали вставлять розенкрейцеровские послания-месседжи.

Вот почему в пьесах Шекспира есть знаменитые мистические провалы, например, сцена с ведьмами из «Макбета». Ведьмы сквозят на пограничье двух миров как иноматериальные сущности, которые внезапно появляются и так же внезапно растворяются в пространстве. Они предсказывают ему и Макбету судьбу.

Кто же такой реально Шекспир? Происхождение Шекспира из самых низов, его унылая простонародность, конечно, были отмечены исследователями. Городок Стратфорд, где он родился и жил, не имел школы, в которой он мог бы получить знания, которые отражены в сочинениях, ему приписываемых. Его родители были неграмотными, и его детство не было отягощено учением. Есть шесть образцов рукописей Шекспира. Все они подписаны им, и три из них представляют его завещание. Неряшливый вид, кляксы говорят о том, что Шекспир не был знаком с пером, и что, видимо, он копировал приготовленную для него подпись, или же его рукой кто-то водил. До сих пор не обнаружено ни одного экземпляра его пьесы или сонета, написанного от руки, и этому нет правдоподобных объяснений. Есть только фантастические и неправдоподобные предположения.

У автора, демонстрирующего знакомство с литературой всех веков, должна была быть хорошая библиотека. Тем не менее, нет сведений о том, что у Шекспира была такая библиотека, и в его завещании нет упоминания о книгах.

Споры возникают и по поводу того, где Шекспир мог приобрести знание французского, итальянского, испанского и датского современных языков, не говоря уже о латыни и греческом? Ну а не странно ли, что Шекспир так и не сыграл главных ролей в пьесах, которые он вроде бы написал?

Вопреки своей известной скупости, Шекспир не делал никаких попыток хоть как-то контролировать издания своих пьес, многие из которых печатались анонимно. Насколько известно, его родственники и наследники после его смерти не имели от первых изданий никаких финансовых выгод. Будь Шекспир автором пьес, которые ему приписывают, тогда его рукописи и неопубликованные пьесы определенно составили бы его самое ценное достояние. Однако в своем завещании, делая оговорки о подержанной кровати и «большой серебряной позолоченной вазе», он даже не упоминает и не завещает никому свои рукописи.

Этого мало. После смерти Шекспира 1616 году не осталось ни одного его портрета. Существенные различия в портретах Друшаута, Тейлора, Янсена, Ханта, Эшборна, Соуста и Данфорда убедительно говорят о том, что эти художники не знали подлинного облика Шекспира.

И еще. В то время как издания Фолио и Кварто подписаны именем «William Shakespeare», все известные автографы человека, которого выдают за гения, читаются как «William Shakspere». Не правда ли, странно?

Кстати, с трагедией Шекспира «Макбет» связана еще одна тайна. Согласно актерским поверьям, игра в ней приносит всем несчастье и, кроме того, еще и всему, что с ней связано. Поставить «Макбета» трудно — на сцене то и дело происходят несчастные случаи: то декорации сгорят, то покалечится рабочий, то с актером случится авария. У «Макбета» настолько темная репутация, что те режиссеры и актеры, которые все же приступают к репетиции пьесы, между собой зовут ее не иначе, как «одна пьеса», или «та пьеса». Но, только не произносят вслух ее громкое название, чтобы не накликать беду. Еще хуже может быть, если какой-нибудь из особо старательных актеров начнет репетировать слова пьесы не в положенном месте, а где придется: дома или на улице.

Сложилась легенда, по которой несчастья «Макбета» начались от трех ведьм, которые, по произведению, варили снадобье и произносили заклинания. Еще есть поверье, согласно которому «Песня ведьм» может призвать потусторонние силы. Видимо, поэтому даже напевать во время репетиции мелодии из «Макбета» считают плохой приметой.

Уолт Дисней:
убитая сова парализовала на три дня

Легендарный мультипликатор и создатель киностудии имени себя, которая до сих пор радует нас лучшими в мире фильмами для детей и мультфильмами, Уолтер Элайас Дисней (5 декабря 1901 — 15 декабря 1966), однажды рассказал о мистическом случае, из-за которого он стал легендарным мультипликатором.

Когда Дисней был ребенком, он поймал маленького совенка и так заигрался с птицей, что замучил ее до смерти — она умерла у него прямо в руках. Ребенок испытал такой шок, что онемел и не мог ходить. Родители не смогли даже отвезти его к доктору — вызывали помощь на дом. Врач, констатировав шоковое состояние, ничем помочь не смог и приказал ждать. Ровно три дня мальчик не приходил в себя — даже ночью он не засыпал, не смыкая глаз, сидел на стуле.

Придя в себя, он ничего не помнил, что произошло с ним, объяснить не мог, но именно с тех пор он решил, что будет делать только добро братьям нашим меньшим. Кроме того, уже тогда, с детства, он стал вегетарианцем, навсегда отказавшись от приема в пищу того, «что когда-то бегало». В память о замученной сове в будущем он решил лишь оживлять животных — в своих мультиках.

И еще. Несмотря на то, что Дисней придумал легендарного мышонка Микки Мауса, всю свою жизнь он панически боялся мышей.

Фаина Раневская: будущую актрису благословили счастливые руки

В своих мемуарах знаменитая актриса Фаина Георгиевна Раневская (15 августа 1896 — 19 июля 1984) вспоминала, что в 1910 году, в 14-летнем возрасте, отдыхала с родителями в Крыму, где познакомилась с жившей по соседству известной актрисой Алисой Коонен. Когда пришло время уезжать с курорта, и девушка пришла попрощаться, она поделилась с актрисой своей мечтой — рассказала, что тоже хочет играть в театре. Тогда Коонен подошла к ней, положила одну руку ей на плечо, а другую на голову, и сказала: «У меня руки счастливые. Будешь. Вот увидишь»... «Не знаю, была это магия или просто совпадение, но уже через год я не вылезала из театров, осознавая, что во что бы то ни стало стану актрисой», — вспоминала Фаина Георгиевна.

Еще один мистический эпизод, связанный с великой актрисой, описан в книге Матвея Гейзера «Воспоминания о Раневской». Однажды актрису дома ударило током — когда она случайно дотронулась до оголенного провода. Фаина Георгиевна потеряла сознание и, как потом описывала, «увидела свет в конце туннеля, на который побежала». После ее всю затрясло, и она пришла в себя. Позднее, анализируя произошедшее, она пришла к выводу, что душа покинула ее тело, но по каким-то причинам высшие силы решили вернуть ее к жизни. Свет, который она видела впереди, — был светом той комнаты, где она находилось. А тело затряслось, когда в него вернулась душа. «Одно я знаю точно — душа существует, это не выдумка ученых и верующих», — говорила актриса.

Федор Достоевский:
увидел херувимов перед расстрелом

В апреле 1849 года тогда еще только начинающий писатель Федор Михайлович Достоевский (30 октября 1821 — 28 января 1881) был арестован по решению военного суда за то, что он, «получив в марте от дворянина Плещеева... копию с преступного письма литератора Белинского — читал это письмо в собраниях публично: сначала у подсудимого Дурова, потом у подсудимого Петрашевского». За распространение преступной религии писателя приговорили к смертной казни.

Дня расстрела писатель ждал мужественно. Церемония казни состоялась 22 декабря в 8 часов утра, на Семеновском плацу в Петербурге. О том, как это было, Достоевский рассказал через 18 лет в романе «Идиот»: «человек был возведен вместе с другими на эшафот, и ему прочитан был приговор смертной казни расстрелянием за политическое преступление. Минут через двадцать прочтено было и помилование и назначена другая степень наказания; но, однако же в промежутке между двумя приговорами... он прожил под несомненным убеждением, что через несколько минут он вдруг умрет...».

Помилование, дарованное Достоевскому, гласило: «Сослать в каторжную работу на четыре года». В день казни, перед отправкой на каторгу, Достоевский писал брату: «Ведь был же я сегодня у смерти три четверти часа, прожил с этой мыслью, был у последнего мгновения. Мне казалось, что я уже видел херувимов в небе — небольших птичек с человеческими чертами лица. Я был уверен, что все — пора умирать, а теперь еще раз живу!..».

Также писатель упоминает про одну знакомую тетку по материнской линии, которая всю жизнь прожила девственницей и умирала в старости, так и не познав отношений с мужчиной. В какой-то из дней она позвала близких и сказала: «Смотрите, сколько вокруг херувимов! Они повсюду: под потолком, на кровати, над головой кружат». Однако кроме нее их никто не увидел, а тем же днем женщина, увидевшая библейские создания, умерла.

Интересная история случилась с Достоевским и на каторге. Об этом написал в своих воспоминаниях Шимон Токаржевский. Достоевский прикормил пса, и пес этот к нему очень привязался. И однажды, когда Достоевский заболел воспалением легких и оказался в больнице, ему прислали 3 рубля. По тем временам это были большие деньги (для сравнения: каторжников кормили на 30 копеек в месяц). Какой-то уголовник, сговорившись с фельдшером, решил отравить Достоевского, а эти деньги украсть. Они подсыпали яд Достоевскому в молоко. Но в тот момент, когда Федор Михайлович уже собрался молоко пить, вбежал пес, запрыгнул на него (чего никогда не делал ранее) перевернул чашку с молоком, а то, что осталось, вылакал. Не прошло и десяти минут, как собака скончалась. Один из каторжан потом сказал: «Видите, господа, как чудесное провидение свыше, посредством немой твари, избавило от смерти правдивого человека». Этот случай можно истолковать так, что высшие силы вмешались и не дали погибнуть в то время еще не написавшему «Преступление и наказания» и «Идиота» Достоевскому.

Федор Шаляпин: дотронулся до привидения голыми руками

Федор Иванович Шаляпин (1 февраля 1873 — 12 апреля 1938) был одной из наиболее заметных фигур в искусстве, неудивительно, что его имя в своих целях старались использовать оккультисты, мистики, спириты. Даже ходили слухи, что он способен «контактировать» с духами умерших, над чем Шаляпин лишь иронически посмеялся, отказываясь комментировать слухи. Однако множество фактов свидетельствуют о том, что мистика в жизни Федора Ивановича на самом деле присутствовала.

Так, историю о встрече Шаляпина с привидением описывает в коротком рассказе «Медиум» русский живописец Константин Коровин, который хорошо знал певца: «Ночь была ясная, и прибывшие расположились неподалеку от кургана. Прошло не так уж много времени, когда все увидели загоревшиеся огоньки! Вслед за этим на вершине, как и в предыдущую ночь, возникло туманное облачко, превратившееся в фигуру женщины: К изумлению очевидцев, дымчатая фигура стала спускаться с кургана и двигаться в их сторону! Все в смятении попятились, а Федор Иванович бросился навстречу женщине и на глазах приятелей соприкоснулся с ней! В этот момент он упал, а видение исчезло».

Как-то в большой деревенской мастерской живописца Константина Коровина собралось несколько близких друзей и знакомых — художник Серов, певец Шаляпин, архитектор Мазырин и другие. Удобно расположившись на длинных тахтах, они вели неторопливый разговор, и вдруг кто-то из них предложил попробовать вызвать духа — в те времена спиритизм был очень распространен. Но специальной доски и иной атрибутики не было, а потом приятели решили импровизировать. Расселись полукругом и стали читать сочиненные на ходу мантры.

«Сидим за столом, — позднее вспоминал Виктор Александрович Мазырин, — в темной комнате, окна завешены, никакого света. Стол начинает потрескивать. Смотрю, из пальцев моих рук, которые держу на столе, поблескивают искры. Прямо выскакивает огонь! Стол подымается в воздух! А гитара стояла в углу. Вдруг поднялась и полетела по воздуху и над моей головой — трын-брын, трын-брын. Потом опять стала в угол».

Говорят также, что Федор Михайлович верил в существование «мест силы» на нашей планете — некоторых точек, оказавшись в которых человек может вылечить болезни, обрести силы, подзарядиться энергией. Якобы, он посещал всевозможные подобные места, о которых знал, во время своих гастролей, пока не нашел «свое» — место, энергию которого он прочувствовал особенно явно. Находилось оно в Крыму, на отвесной скале неподалеку от курорта «Артек». Шаляпин настолько был поражен ощущениями от посещения скалы, что попросил у владелицы курорта — Ольги Михайловны Соловьевой продать ее ему в собственность за любые деньги. Но она продавать скалу отказалась. Будучи его поклонницей, она попросила певца спеть лично для нее, после чего подарила участок ему, оформив сделку от 1915 года.

Шаляпин тогда публично заявил, что зочет построить там Храм искусств, однако революция эти планы разрушила. Сегодня мыс Шаляпина считается одним из самых красивейших в тех краях и, конечно же, притягивает к себе любителей непознанного со всего мира.

Франческо Петрарка:
из могилы исчезло перо и правая рука

Как-то итальянский поэт Франческо Петрарка (20 июля 1304 — 19 июля 1374), уже будучи известным, отправился странствовать по Европе. Одним из пунктов маршрута была гора Мон Ванту, которую он намеревался покорить вместе со своим младшим братом Герардо. Повинуясь какому-то внутреннему голосу, он взял с собой книгу «Исповедь» Блаженного Августина. Как потом вспоминал сам Петрарка, подул ветер, и книга сама раскрылась на определенном месте. Это произошло тогда, когда поэт и его брат достигли цели и стали созерцать с вершины горы мир человеческих страстей, оставшийся у ее подножия. Петрарка прочел: «Люди хотят удивляться высоте гор, бурным волнам моря, длинным течениям рек, бесконечности океана, вращению звезд, но не заботятся о самих себе».

Тогда на Петрарку снизошел удивительный свет. Он увидел рядом с собой Великого святого — мужчину, состоящего из яркого света. Что именно он сообщил Франческо — тайна, ибо посланец просил никому об этом не говорить. Но, что удивительно, после небольшого разговора, когда святой исчез так же неожиданно, как и появился, Петрарка взглянул на брата и увидел, что тот лежит на земле, свернувшись калачиком, и спит. Как он смог заснуть и вообще как взбирался на гору — он не помнил.

После этого происшествия у Петрарки проявился необычный дар — дар предсказания событий. В том числе и тех, что произойдут с ним самим. Одним из первых предсказаний было видение собственной смерти — он написал, что умрет за рабочим столом, просто перо выпадет из его рук.

Так оно и случилось. Он не дожил всего одного дня до своего семидесятилетия. Сразу же поползли слухи о последнем пере мастера. Что оно обладает магической силой. Что тот, кто овладеет им, станет таким же гением, как Петрарка, независимо от того, среди какого народа и в какую эпоху появится. «Перо», по преданию, не давало покоя мистикам, и в результате в начале XXI века итальянские исследователи вынули тело Петрарки из могилы. Тут всех ждал настоящий шок. В гробу не было не только волшебного пера... У покойного отсутствовала правая рука, которой он это перо держал.

Историки, перерыв старые архивы, выяснили, что в XVII веке некий монах предпринял попытку «взять себе на память» руку поэта. Возможно, ему это удалось...

Чингисхан:
шаман заставил поменять имя

Многие величайшие правители мира всех времен и народов, для того чтобы прийти к власти и удержать вожжи правления, использовали любые возможности, в том числе и помощь колдунов, магов, ведьм.

Одним из самых загадочных колдунов в истории эзотерики считают Тэба Тэнгри — личного шаман Чингисхана (1155 — 25 августа 1227), основателя и первого Великого хана Монгольской империи, которая включала в себя Великую Евразийскую степь от Дуная до Тихого океана и самое протяженное пространство от Новгорода до Индокитая. Именно шаман придумал Чингисхану псевдоним, убедив, что с именем, данным при рождении — Темучина — успеха у него не будет.

Согласно историческим хроникам, шаман Чингисхана был поистине незаурядной личностью, к тому же обладал чудодейственными способностями. Например, когда он садился на лед, то ото льда шел пар, настолько жаркой была энергия этого человека. Также исторические хроники говорят, что он умел летать и наводил на людей суеверный страх, когда поднимался в небо на сером коне в яблоках.

Говорят, что именно Тэб Тэнги управлял жизнью хана, направлял его и советовал. В какой-то момент Чингисхану ночью было видение (хотя некоторые историки считают, что видение было «подстроено»: в окружении хана нарочно сделали так, будто он слышит голос во сне, а на самом деле человек спрятался в юрте и говорил заготовленный текст как только император засыпал). Согласно видению, Чингисхану открылась правда — что шаман использует его тело и разум, чтобы добиваться всего, что хочет. А в будущем и вовсе планирует занять место правителя. Не думая ни секунды, хан приказал своего верного помощника убить.

Спустя несколько лет умер и сам Чингисхан, заболев лихорадкой в азиатском походе. Тело великого завоевателя отвезли в Монголию и по традиции похоронили в тайной могиле рядом со священной горой Бурхан-Халдун. Согласно его завещанию, точное место захоронения держали в строжайшем секрете. Могилу утаптывали, сравнивая с землей, более тысячи лошадей. Всех случайных людей, которые видели или могли видеть место захоронения, убили войска хана (по историческим свидетельствам — было уничтожено более 2000 свидетелей).

В наше время в Монголию одна за другой приезжают экспедиции в надежде найти могилу Чингисхана. Причин — три. Во-первых, раскрыть, наконец, тайну великого воина, во-вторых, разбогатеть — говорят, все золото хана закопали вместе с ним, ну, а в-третьих, — есть версии о мистической силе останков хана. Говорят, кто найдет его могилу, станет величайшим воином в мире и сможет выиграть любую войну.

Элвис Пресли: придуманная смерть и ожидание воскрешения

Невероятная удача выпала этому до той поры никому не известному человеку Тому Паркеру: сам «король рок-н-ролла» Элвис Аарон Пресли (8 января 1935 — 16 августа 1977) предложил ему стать своим менеджером! Первый рабочий день прошел в страшной суете и беготне, и вечером бедняга без чувств рухнул в постель. А ночью ему приснился кошмар: Элвис скрюченным валяется на полу, вокруг разбросаны шприцы, бутылки из-под виски, сверху падают монеты, тут же превращающиеся в черных жуков. Объяснить этот сон Паркер не мог, и очень был бы изумлен и встревожен, если бы ему сказали, что сон этот — пророческий! Спустя некоторое время Элвиса нашли мертвым на полу в его ванной комнате — он скончался от передозировки наркотиков.

Сразу же после смерти Пресли возникли теории о том, что певец на самом деле жив. Уже через месяц его могила подверглась осквернению, когда некоторые люди хотели проверить, на самом ли деле Пресли мертв. В конце 80-х гг. появились публикации о «жизни» Пресли после смерти: певец якобы сознательно осуществил постановку своей смерти, чтобы удалиться от надоевшего ему мира шоу-бизнеса и предаться духовному совершенствованию (певец действительно был подвержен духовным исканиям в последние годы); по другой версии, Пресли удалился на длительное лечение от наркотиков, но упустил время и не смог вернуться обратно на сцену. Эта теория о фиктивной смерти в 1977 году подпитывается несколькими фактами: засекреченный характер медицинского расследования причин смерти; отсутствие фотографии тела певца; изменение среднего имени на могиле (Пресли якобы таким образом не считал бы себя похороненным и не накликал бы беду — а он был очень суеверным, как и все артисты); и, конечно, психологическое нежелание миллионов поклонников принять столь неожиданные обстоятельства преждевременной смерти. К этому добавились периодические свидетельства людей, видевших Пресли в различных местах планеты. Эта теория прочно вошла в поп-культурную мифологию о Пресли. В 1991 году лос-анджелесская газета напечатала скандальный репортаж о встрече с «живым» Пресли. В 2006 году в ряде американских СМИ появилась история о «тайной жизни» Пресли, который якобы умер не в 1977, а в середине 1990-х годов. С конца 1980-х в США стали распространяться разнообразные религиозные организации, обожествляющие Пресли и ожидающие его «второго пришествия».

Юрий Гагарин:
в трагической гибели виновен свет НЛО?

27 марта летчик-космонавт Юрий Алексеевич Гагарин (9 марта 1934 — 27 марта 1968) совершал тренировочный полет под руководством инструктора Владимира Серегина. Как гласит официальная версия, пилотируемый летчиками МиГ-15 ушел в крутой штопор и врезался в землю... Причин называлось сразу несколько: инородный объект в двигателе, разгерметизация кабины пилотов, взрыв в воздухе... Но многим заключение госкомиссии показалось слишком туманным. Это создало благодатную почву для догадок, в результате чего появилась версия о столкновении самолета с НЛО. В ее пользу говорят записи последних слов Гагарина, зафиксированные на магнитофонную пленку: «объект яркого цвета в форме диска»... Далее запись обрывается. Вполне возможно, что Гагарин попытался сманеврировать и уйти в сторону, пытаясь избежать столкновения с объектом, но резкий вираж ввел истребитель в штопор... А может быть, летающий объект попросту ослепил пилотов ярким светом или воздействовал на них неизвестным нам образом — тут можно фантазировать безгранично...

За несколько дней до рокового полета Гагарин предпринял колоссальные усилия для того, чтобы повидаться с дорогими людьми. Он буквально умолял приехать даже тех, кто по тем или иным причинам этого сделать не мог (предчувствие?). Например, ему с огромным трудом удалось уговорить московских врачей отпустить домой «на побывку» жену Валентину, которая в то время находилась в больнице. Знаменательная встреча произошла 23 марта 1968 года на квартире космонавта в Звездном городке, родные пробыли в гостях всего лишь два дня. Интересно и следующее: Юрий Алексеевич всегда был атеистом, не верил в бога, но накануне рокового полета посетил церковь.

В жизни Гагарина было немало всего интересного и мистического. Так, однажды он оговорился, что в его первом полете было немало интересного, и сказал (дословно) «за мной наблюдали». Большего сказать не мог — все это было засекречено КГБ.

Часть архивов со временем получила огласку. Из них мы могли узнать, что находясь в космосе, каждую ночь Гагарин слышал собачий лай, причем, ему казалось, что это был голос знаменитой Лайки, погибшей на орбите. Дважды он слышал плач ребенка, о котором докладывал в центр управления полетом.

Очень часто на орбите у Гагарина возникал «эффект присутствия», когда казалось, что кто-то невидимый смотрит ему в спину крайне тяжелым взглядом. А потом незримое существо дает о себе знать — раздается шепот. Разобрать речь невозможно.

По воспоминаниям руководителя ансамбля электро-музыкальных инструментов Вячеслава Мещерина, Юрий Гагарин, прослушав концерт ансамбля, сказал, что когда находился на орбите, то у него в ушах звучала очень похожая музыка.

Заключение

Жизнь известных людей всегда окутана слухами и окружена тайнами. Причем чем популярнее человек, чем больше у него последователей и почитателей, тем больше о нем рассказывают историй, зачастую — самых невероятных. А когда он отходит в мир иной (тем более, если это происходит неожиданно или преждевременно), легенды начинают множиться с невероятной скоростью и обрастать удивительными подробностями. Оно и понятно: уточнить информацию «у первоисточника» уже не удастся. А что касаемо близких, коллег, соратников и прочих «знавших лично»... Достаточно вспомнить, сколько они написали и издали отличающихся друг от друга воспоминаний, посвящений и прочих трудов, сколотив на своих историях целые состояния, чтобы усомниться в их правдоподобности.

В этой книге автор собрал самые невероятные истории, когда-либо рассказанные о великих людях. А происходили ли они на самом деле и насколько они достоверны — об этом история умалчивает...

Литературно-художественное издание
Величайшие сенсации и мистификации человечества

Лобков Денис

Мистика в жизни выдающихся людей

Шеф-редактор *А. Боровик*
Младший редакторы: *А. Бирюкова, А. Юсупова*
Руководитель проекта *О. Завалий*
Выпускающий редактор *Е. Крылова*
Компьютерная верстка: *Т. Сосенкова*
Корректор *И. Иванова*
Дизайн обложки: *ООО «Фанки Инк.»*
В оформлении обложки использованы материалы
по лицензии © *shutterstock.com*
Издание подготовлено ООО «Фанки Инк.»

Подписано в печать 22.10.2014 г.
Формат 84×108/32. Гарнитура «Опиум»
Усл. печ. л. 13,44
Тираж 4000 экз.
Заказ № 1756

ООО «Энтраст Трейдинг»
109147, г. Москва, ул. Большая Андроньевская, д. 23

Отпечатано в ОАО «Издательско-полиграфическое
предприятие «Правда Севера».
163002, г. Архангельск, пр. Новгородский, 32.
Тел./Факс (8182) 64-14-54, тел.: (8182) 65-37-65, 65-38-78
www.ippps.ru, e-mail: zakaz@ippps.ru

3 1125 00983 1015